EDIUS X Pro
パーフェクトガイド

X/9/8/7 対応版

阿部信行 著

Perfect Guide
EDIUS X Pro
Revised 2nd edition
Nobuyuki Abe

改訂2版

技術評論社

◎サンプルファイルのダウンロードについて

本書の解説に使用しているサンプルファイルをサポートページよりダウンロードできます。
ダウンロード時は圧縮ファイルの状態なので、展開してからご使用ください。

サポートページ

https://gihyo.jp/book/2021/978-4-297-12361-1/support

【免責】
本書に記載された内容は、情報の提供のみを目的としています。したがって、本書を用いた運用は、必ずお客様自身の責任と判断によって行ってください。これらの情報の運用の結果、いかなる障害が発生しても、技術評論社および著者は一切の責任を負いません。
本書記載の情報は、2021年9月現在のものを掲載しております。ご利用時には、変更されている可能性があります。また、OSやソフトウェアに関する記述は、特に断りのない限り、2021年9月現在での最新バージョンをもとにしています。OSやソフトウェアはバージョンアップされる場合があり、本書での説明とは機能内容や画面図などが異なってしまうこともあり得ます。本書ご購入の前に、必ずバージョン番号をご確認ください。OSやソフトウェアのバージョンが異なることを理由とする、本書の返本、交換および返金には応じられませんので、あらかじめご了承ください。

以上の注意事項をご承諾いただいた上で、本書をご利用願います。これらの注意事項に関わる理由に基づく、返金、返本を含む、あらゆる対処を、技術評論社および著者は行いません。あらかじめ、ご承知おきください。

【動作環境】
本書は、EDIUS X ProおよびEDIUS Pro 9/8/7を対象にしています。その他のEDIUS Proのバージョンでは、一部利用できない機能や操作方法が異なる場合があります。
また、お使いのパソコン特有の環境によっては、本書の操作が行えない可能性があります。本書の動作は、一般的なパソコンの動作環境において、正しく動作することを確認しています。

動作環境に関する上記の内容を理由とした返本、交換、返金には応じられませんので、あらかじめご注意ください。

■本書に掲載した会社名、プログラム名、システム名などは、米国およびその他の国における登録商標または商標です。
　本文中ではTM、®マークは明記しておりません。

はじめに

本書は、初めて「EDIUS X Pro」(以下「EDIUS Pro」と省略)を利用するユーザー向けに、EDIUS Proの利用方法をわかりやすく解説したガイドブックです。EDIUS Proを初めて利用するユーザーでも、本書の手順どおりに操作すれば、EDIUS Proの基本操作をマスターできるように構成してあります。

ビデオの編集作業では、操作手順を覚えることはそれほど重要ではありません。もっと重要なのは、「素材の映像データを利用して、どのようなムービーを作りたいのか」をイメージしておくことです。そのうえで、イメージした映像を作るには、どのように映像を加工すればよいのか、どのような効果を設定すればよいのかをEDIUS Proの機能の中から見つけ、そして利用するのです。そのとき、もし「イメージした映像を実現するための機能はわかったけれど、操作方法がわからない」という場合は、本書を参照してください。また、「どのような効果を利用すればよいのか、どのように加工すればよいのかがわからない」というときも、本書を参考にしてください。

EDIUS Proは多くの便利な機能を備えています。それらの中から、これさえ理解すればオリジナルのムービーを作成できるように、本書では必要な機能をピックアップして解説しています。

EDIUS Proは、放送局やポストプロダクション(主に映像編集を行う制作会社)などで広く利用されているビデオ編集ソフトです。それだけに、さまざまな編集機能が搭載されています。プロはこれらの機能を組み合せて編集することで、番組を作成しています。

プロが使うからといって、EDIUS Proの操作が難しいわけではありません。しかし、操作に慣れないと難しく感じてしまうことも事実です。そんなとき、本書でEDIUS Proの操作を確認することで、難しいと感じる壁を越えることができます。

いずれにしても、本書をEDIUS Proマスターのための土台として利用し、オリジナリティあふれるムービーを作成してください。そのように本書を利用していただければ幸いです。

2021年9月

阿部 信行

CONTENTS 【目次】

はじめに ……………………………………………………………………………… 003

CHAPTER 00 インストール

- SECTION 01　eIDを取得する ……………………………………………………… 012
- SECTION 02　EDIUS Proをインストールする ……………………………………… 015
- SECTION 03　アクティベーションをする …………………………………………… 018

CHAPTER 01 起動とプロジェクト設定

- SECTION 01　EDIUS Proとプロジェクトの関係を確認する ………………………… 022
- SECTION 02　EDIUS Proの画面構成を確認する …………………………………… 023
- SECTION 03　EDIUS Proの起動と終了 …………………………………………… 024
- SECTION 04　初回起動時にプロジェクトプリセットを新規作成する ……………… 026
- SECTION 05　既存のプロジェクトプリセットを変更する ………………………… 028
- SECTION 06　プロジェクトを新規に作成する（簡易設定）………………………… 030
- SECTION 07　プリセットを変更してプロジェクトを新規に作成する（詳細設定）… 032
- SECTION 08　既存のプロジェクトをテンプレートとして利用する ……………… 036
- SECTION 09　編集中のプロジェクトをテンプレートとして登録する …………… 038
- SECTION 10　プロジェクトプリセットの書き出しと読み込み …………………… 040
- SECTION 11　編集途中でプロジェクト設定を変更する …………………………… 042
- SECTION 12　4Kクリップ編集用のプロジェクトを設定する ……………………… 044
- SECTION 13　4Kのプロジェクトプリセットを新規に作成する …………………… 046
- SECTION 14　プロジェクトのオートセーブ ………………………………………… 048

CHAPTER 02 クリップ管理

- SECTION 01 MyncとEDIUS Proの関係を理解する ... 050
- SECTION 02 Myncを起動する ... 053
- SECTION 03 ビデオカメラからクリップを取り込む ... 055
- SECTION 04 ハードディスク／SSD上からクリップを取り込む ... 058
- SECTION 05 Myncの画面構成を確認する ... 060
- SECTION 06 取り込んだクリップの情報を確認する ... 062
- SECTION 07 Myncでクリップを再生する ... 064
- SECTION 08 カタログでクリップを整理する ... 066
- SECTION 09 カタログでクリップをグループ分けする ... 068
- SECTION 10 Myncでクリップをスマートカタログに整理する ... 071
- SECTION 11 クリップに「評価」を設定する ... 074

CHAPTER 03 クリップ編集

- SECTION 01 「ビン」ウィンドウにクリップを登録する ... 076
- SECTION 02 「ビン」ウィンドウにフォルダーを登録する ... 079
- SECTION 03 「ビン」ウィンドウの表示モードを変更する ... 081
- SECTION 04 フォルダービューを操作する ... 083
- SECTION 05 タイムラインウィンドウの機能を確認する ... 085
- SECTION 06 トラックとトラックヘッダーの機能を理解する ... 087
- SECTION 07 トラックヘッダーの幅とトラックの高さを変更する ... 088
- SECTION 08 トラック名を変更する ... 091
- SECTION 09 トラックを選択する ... 092
- SECTION 10 トラックをロックする ... 093
- SECTION 11 トラックを追加する ... 094
- SECTION 12 トラックを移動する ... 095
- SECTION 13 トラックを削除する ... 096
- SECTION 14 タイムスケールの表示単位を変更する ... 097
- SECTION 15 タイムラインの表示範囲を変更する ... 098
- SECTION 16 タイムラインにクリップを配置する ... 099
- SECTION 17 クリップの範囲を指定して配置する ... 101
- SECTION 18 トラック間でクリップを移動する ... 103
- SECTION 19 クリップをまとめて移動する ... 105

SECTION 20	クリップを削除する	106
SECTION 21	ギャップを削除する	107
SECTION 22	シンクロック(同期)のモードを切り替える	108
SECTION 23	リップルモードを切り替える	109
SECTION 24	クリップを入れ替える	110
SECTION 25	クリップをコピーする	111
SECTION 26	クリップを分割する	112
SECTION 27	挿入モード／上書きモードでクリップを配置する	114
SECTION 28	クリップの有効化／無効化を切り替える	115
SECTION 29	複数のクリップをグループ化する	116
SECTION 30	プロキシモードに切り替える	117
SECTION 31	クリップの色分けを変更する	119
SECTION 32	リンク切れを解消する	120
SECTION 33	ショートカットキーで映像を再生する	121
SECTION 34	シーケンスを新規作成する	122
SECTION 35	シーケンスを閉じる／開く	123
SECTION 36	シーケンスをネストする	124

CHAPTER 04 トリミング

SECTION 01	ドラッグでトリミングする	126
SECTION 02	上書きモードと挿入モードでのトリミング	129
SECTION 03	トリミングの種類	130
SECTION 04	スライドトリムでトリミングする	131
SECTION 05	スリップトリムでトリミングする	132
SECTION 06	ローリングトリムでトリミングする	133
SECTION 07	スプリットトリムでトリミングする	134
SECTION 08	トリムモードとトリムウィンドウ	135
SECTION 09	トリムウィンドウでトリミングする	139
SECTION 10	トリムウィンドウのタイムコード	140
SECTION 11	ショートカットキーでトリミングする	141
SECTION 12	マルチカムモードでトリミングする	142
SECTION 13	静止画像のトリミング	148

CHAPTER 05 トランジション

- SECTION 01 トランジションについて理解する ……………………………………… 150
- SECTION 02 トランジションを選択する …………………………………………… 152
- SECTION 03 トランジションを設定する …………………………………………… 154
- SECTION 04 伸縮モードと固定モードを切り替えて設定する ………………………… 158
- SECTION 05 デフォルトトランジションを設定する ………………………………… 160
- SECTION 06 トランジションを交換する …………………………………………… 161
- SECTION 07 トランジションを削除する …………………………………………… 162
- SECTION 08 トランジションのデュレーションを変更する ………………………… 163
- SECTION 09 トランジションをカスタマイズする …………………………………… 165
- SECTION 10 アルファカスタムでトランジションを作成する ……………………… 168
- SECTION 11 デフォルトトランジションを設定する ………………………………… 172

CHAPTER 06 エフェクト

- SECTION 01 ビデオフィルターをクリップに適用する ……………………………… 174
- SECTION 02 ビデオフィルターをカスタマイズする ………………………………… 176
- SECTION 03 複数のフィルター設定と削除 …………………………………………… 178
- SECTION 04 ホワイトバランスを調整する …………………………………………… 180
- SECTION 05 YUVカーブで色補正する ……………………………………………… 182
- SECTION 06 3-Wayカラーコレクションで指定した色のみを補正する …………… 184
- SECTION 07 カラーバランスで色補正する …………………………………………… 186
- SECTION 08 カラーホイールでカラー補正する ……………………………………… 188
- SECTION 09 モノトーンを利用する …………………………………………………… 190
- SECTION 10 特定の色だけを残すクロミナンスを設定する ………………………… 192
- SECTION 11 エフェクト効果をアニメーションする ………………………………… 196
- SECTION 12 「レイアウター」でクロップする ……………………………………… 198
- SECTION 13 トランスフォームで表示位置を変更する ……………………………… 200
- SECTION 14 トランスフォームで傾きを修正する …………………………………… 203
- SECTION 15 ビデオレイアウト機能でピクチャー・イン・ピクチャーする ……… 206
- SECTION 16 3Dモードでレイアウトする …………………………………………… 208
- SECTION 17 マスクフィルターでトラッキングを実行する ………………………… 210
- SECTION 18 クロマキーで合成する …………………………………………………… 214
- SECTION 19 フォトムービーを作成する ……………………………………………… 218

CHAPTER 07 マーカー

- SECTION 01 2種類のマーカーについて ... 226
- SECTION 02 クリップマーカーを設定する ... 228
- SECTION 03 マーカーを移動する ... 230
- SECTION 04 タイムラインにシーケンスマーカーを設定する ... 231
- SECTION 05 マーカーにコメントを設定する ... 234
- SECTION 06 マーカーにジャンプする ... 236
- SECTION 07 マーカーを削除する ... 237
- SECTION 08 マーカーリストを書き出す ... 238
- SECTION 09 マーカーリストを読み込む ... 239
- SECTION 10 そのほかのマーカーリストのエクスポート／インポート方法 ... 240

CHAPTER 08 タイトル

- SECTION 01 メインタイトルを作成する方法 ... 242
- SECTION 02 メインタイトルを新規に作成する ... 245
- SECTION 03 「テキストプロパティ」と「背景プロパティ」 ... 254
- SECTION 04 メインタイトルに影を設定する ... 255
- SECTION 05 「クロール」タイトルを作成する ... 256
- SECTION 06 「ロール」タイトルを作成する ... 259
- SECTION 07 タイトルトラックのクリップにエフェクトを設定する ... 262
- SECTION 08 ビデオトラックのクリップにエフェクトを設定する ... 263
- SECTION 09 ビデオトラックとタイトルトラックの配置順 ... 264
- SECTION 10 タイトルクリップのデフォルト設定を変更する ... 266

CHAPTER 09 オーディオ

- SECTION 01 オーディオクリップを取り込む ... 268
- SECTION 02 オーディオクリップを配置する ... 269
- SECTION 03 オーディオクリップをトリミングする ... 270
- SECTION 04 クリップの音量をラバーバンドで調整する ... 272
- SECTION 05 オーディオミキサーで音量調整する ... 275
- SECTION 06 ラーニングモードで音量調整する ... 278
- SECTION 07 BGMを手動でフェードアウトさせる ... 280
- SECTION 08 BGMの特定の範囲だけ音量を調整する ... 282
- SECTION 09 複数クリップの音量をノーマライズ(均一化)する ... 284
- SECTION 10 オーディオフィルターを設定する ... 285
- SECTION 11 ナレーションを録音する ... 286

CHAPTER 10 出力

- SECTION 01 レンダリングを実行する ... 292
- SECTION 02 エクスポーターからH.264形式で出力する ... 294
- SECTION 03 4Kで出力する ... 297
- SECTION 04 DVDやBlu-rayディスクに出力する ... 299
- SECTION 05 メニューありDVDビデオを作成する ... 302

CHAPTER 11 HDRとLog編集

- SECTION 01 HDRとは？Logとは？ ... 316
- SECTION 02 HDRの条件 ... 318
- SECTION 03 2つのHDR方式と映像制作に必要なもの ... 321
- SECTION 04 クリップのプロパティ表示 ... 323
- SECTION 05 Log編集用のプロジェクト設定 ... 325
- SECTION 06 Logをカラーコレクションする ... 327
- SECTION 07 Logについて理解する ... 334

CHAPTER 12　Mync

- **SECTION 01** Myncでストーリーボードを新規に作成する ……………… 338
- **SECTION 02** Myncのストーリーボードで編集する ……………… 340
- **SECTION 03** Myncのストーリーボードの再生と出力 ……………… 343
- **SECTION 04** Myncから動画をオンライン共有する ……………… 345

索　引 ……………… 346

CHAPTER
▼
00

THE PERFECT GUIDE FOR EDIUS Pro

[インストール]

SECTION 01

CHAPTER 00 ▶ インストール

eIDを取得する

EDIUS Proを利用するには「eID」(EDIUS ID)というIDが必要です。ここでは、このeIDを取得する方法について解説します。

▶ eIDをWebサイトから取得する

EDIUS Proを利用するには「eID」が必要です。eIDは、メンバーシップWebサイト「eID Web」でユーザー情報を登録することで取得できます。取得したeIDは、EDIUS Proをインストールする際の認証で必要になります。

1 メンバーシップWebサイトにアクセスする

メンバーシップのWebサイト「eID Web」にアクセスします。Webサイトが表示されたら「eID登録」ボタンをクリックします。

https://ediusid1.grassvalley.com/

2 メールアドレスを登録する

メールアドレスの登録画面に切り替わります。メールアドレスを入力して①、「送信」をクリックします②。

POINT

eIDについて

eIDは、EDIUS Proなどグラスバレー社製品のライセンスとユーザーを関連付けるためのID機能です。EDIUS Proを最初に利用するときの認証時に、シリアルナンバーとeIDを紐付けることで、ライセンスのセキュリティ性を高めています。また、eIDを利用することで、ユーザーの情報管理や製品のダウンロードなどが行えるようになります。

3 仮登録が完了する

メールを送信することで、仮登録が完了します。

4 本登録用サイトにアクセスする

手順 2 で設定したメールアドレス宛てに、「eID本登録のご案内」という件名のメールが届きます。このメールには「本登録手続きURL」というアドレスのリンクが記載されています。メールが届いてから48時間以内にリンクをクリックし、Webサイトにアクセスします。

5 本登録を行う

本登録用のページが表示されるので、「必須」という表示がある「パスワード」 1 、「パスワード（確認）」 2 、「生年月日」 3 、「居住国」 4 の4項目を入力します。必要な項目の入力が完了したら、「確認」をクリックします 5 。

6 内容を確認する

入力した内容が表示されるので、間違いがないか確認して「登録」をクリックします。修正がある場合は「戻る」をクリックして、手順 5 の画面に戻ります。

7 本登録が完了する

eID の本登録が完了します。

8 メンバーシップ Web サイト 「eID Web」にアクセスする

eID の本登録が完了すると、登録したメールアドレスとパスワードを入力して、メンバーシップ Web サイト「eID Web」にアクセスできます。

SECTION CHAPTER 00 ▶ インストール

02 EDIUS Pro を インストールする

ここでは、EDIUS Pro（EDIUS X Pro）のバージョン10.0をインストールするための手順を解説します。

▶ インストールプログラムファイルから EDIUS X Pro をインストールする

EDIUS X Pro（以降、本書では「EDIUS Pro」と表記）をインストールするには、インストールディスクを使う方法と、Web サイトからダウンロードしたインストール用のプログラムを利用する方法があります。EDIUS Pro をインストールすると、同時に Mync（P.50 参照）もインストールされます。
ここでは、インストール用のプログラムを利用してインストールする方法を解説します。

▲カスタムスケーリングの設定が100%のEDIUS Proアイコン。

1 プログラムのアイコンを ダブルクリックする

Web サイト「eID Web」などから EDIUS Pro のインストール用プログラムファイルを入手します。なお、プログラムのアイコンの形は、ディスプレイのカスタムスケーリングのサイズによって異なります。ファイルを入手したら、このアイコンをダブルクリックします。

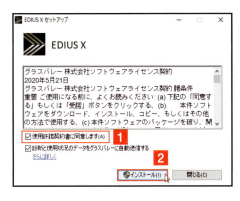

2 ライセンス契約を確認する

ライセンス契約の確認メッセージが表示されます。「使用許諾契約書に同意します」にチェックを入れ**1**、「インストール」ボタンをクリックします**2**。

3 インストールプログラムが 起動する

デバイスへの変更許可の確認メッセージで「はい」ボタンをクリックすると、インストールプログラムが起動します。

4 「次へ」ボタンをクリックする

「EDIUS セットアップウィザードへようこそ」画面で「次へ」ボタンをクリックします。

5 フォルダーを確認する

「インストール先フォルダー」画面では、インストール先のフォルダーを確認して「次へ」ボタンをクリックします。インストール先のフォルダーを変更する場合は「変更…」をクリックします。

6 「オプションの選択」を設定する

「オプションの選択」画面では、デスクトップにショートカットを作成する場合はチェックを入れて 1、「次へ」ボタンをクリックします 2。

7 インストールを開始する

「EDIUS のインストール準備完了」画面で「インストール」ボタンをクリックすると、インストールが開始します。

8 インストールが進行する

インストールの進行状況が表示されます。

9 セットアップウィザードが終了する

インストールが完了したら、「完了」ボタンをクリックします。

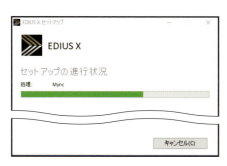

10 セットアップが進行する

さらにセットアップの進行状況が表示されます。

11 インストールを終了する

EDIUS Pro のセットアップが完了すると、再起動を促すメッセージが表示されます。「閉じる」ボタンをクリックして、インストールを終了します。

12 アイコンが作成される

インストールが終了すると、デスクトップ上に EDIUS Pro と Mync の 2 つのアイコンが作成されます。

SECTION
CHAPTER 00 ▶ インストール

03 アクティベーションをする

EDIUS Proを初めて起動する際はシリアルナンバーを入力し、アクティベーションによる認証処理を行う必要があります。認証によって、利用するEDIUS Proのシリアルナンバーがサイトに登録されます。

▶ シリアルナンバーを設定する

EDIUS Pro の初回起動時にはシリアルナンバーを登録する必要があります。このシリアルナンバーがグラスバレー社のサーバーに登録されて、パソコンにインストールした EDIUS Pro が認証されます。

1 アイコンをダブルクリックする

デスクトップ上の EDIUS Pro のアイコンをダブルクリックします。

2 シリアルナンバーを登録する

シリアルナンバーを登録するダイアログが表示されるので、EDIUS Pro のシリアルナンバーを入力し①、「登録」ボタンをクリックします②。

3 認証が実行される

インターネット経由で認証が実行されます。

CHECK!
「eID」の作成
手順 5 の画面で eID Web ボタンをクリックすると、eID を作成できます。体験版のプログラムを利用する場合は、この方法で eID を作成すると便利です。

4 シリアルナンバーが登録される

登録完了のメッセージが表示されたら、「OK」ボタンをクリックします。

5 メールアドレスとパスワードを入力する

「eID」ダイアログでメールアドレス①とパスワードを入力して②、「終了」ボタンをクリックします③。

▶ フォルダーの設定をする

EDIUS Pro のインストールが終了すると、「フォルダーの設定」ダイアログボックスが表示されます。このダイアログボックスでは、これから EDIUS で編集する際に作成されるプロジェクトファイルの保存先フォルダーを設定します。なお、「プロジェクトファイル」とは、現在の編集状態を保存しておく「器」のようなものです。

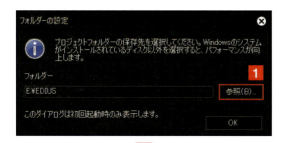

1 保存先フォルダーを設定する

ダイアログボックスの「参照 ...」ボタンをクリックすると■、フォルダーの選択ウィンドウが表示されます。ここで、プロジェクトファイルを保存するドライブにあるフォルダーを選択し■、「フォルダーの選択」ボタンをクリックします■。

POINT

後からでも設定可能
保存先は後からでも変更できますが、事前に決めてある場合は、ここで設定しておきます。

2 確認して終了する

テキストボックスに「選択したドライブとフォルダー名」が表示されているのを確認し■、「OK」をクリックします■。

3 プロジェクトの作成に進む

「スタートアップ」ダイアログボックスが表示されるので、EDIUS Pro のインストールを終了する場合は「終了」をクリックします■。続いて「プロジェクトプリセット」を作成する場合は、「プロジェクトの新規作成」をクリックして■、次ページの操作を行います。

▶ EDIUS Pro のアップデート

EDIUS Pro のインストールが終了すると、インストールに利用したファイルのバージョンによっては、新しいバージョンの存在を知らせるメッセージが表示されます。このメッセージが表示されたら、続いて新バージョンをインストールしましょう。

新バージョンをインストールする

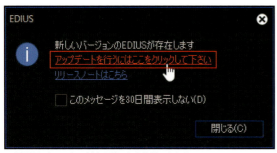
▲表示されたメッセージ内のリンクをクリックする。

◀ダウンロードしたプログラムのアイコンをダブルクリックする。

◀ここにチェックを入れて❶、「インストール」をクリックする❷。

◀セットアップウィザードを終了するために「完了」をクリックする。

◀インストールが完了したら、「完了」をクリックする。

CHAPTER
01

THE PERFECT GUIDE FOR EDIUS Pro

[起動と
プロジェクト設定]

SECTION **01** CHAPTER 01 ▶ 起動とプロジェクト設定

EDIUS Proとプロジェクトの関係を確認する

EDIUS Proでビデオ編集を行うには、プロジェクトの設定が必須です。プロジェクト設定には高度な専門知識が必要ですが、プリセットを利用することでかんたんに設定できます。

▶ プロジェクト設定とプロジェクトプリセットについて

EDIUS Proでビデオ編集を行うには、利用する素材映像のファイル形式に合わせてプロジェクト設定をする必要があります。プロジェクト設定には、映像のファイル形式についての高度な専門知識が必要です。しかし、EDIUS Proではプロジェクト設定をプリセット化することで、かんたんにプロジェクト設定ができるようにしています。また、状況に応じてプリセットをカスタマイズしたり、カスタマイズしたプリセットを新しいプリセットとして出力したりできます。

プリセットの作成

▲ビデオサイズ、フレームレート、ビデオ量子化のビット数などを選択する。

プリセットのカスタマイズ

▲状況に応じてプリセットを詳細にカスタマイズできる。

プリセットを選択してプロジェクトを作成

▲映像のファイル形式についての専門知識がなくてもプロジェクトを作成できる。

POINT

「プリセット」と「テンプレート」の違い

プロジェクトの「プリセット」とは、利用するフォーマットに合わせて、映像編集で必要になる基本的な項目が事前に設定されているものを指します。これに対して、プロジェクトの「テンプレート」とは、プロジェクト設定で利用したプリセットのほかに、素材（映像、画像、音声、タイトルなど）やエフェクト、シーケンスなど、編集に必要なすべての情報を備えたプリセットのことを指します。

SECTION 02 CHAPTER 01 ▶ 起動とプロジェクト設定

EDIUS Proの画面構成を確認する

EDIUS Proの編集画面は複数のウィンドウによって構成されており、作業目的に応じて使い分けます。ここでは、EDIUS Proを構成している各ウィンドウの名称とその機能について解説します。

▶ EDIUS Proの編集画面の構成

EDIUS Proの編集画面は複数のウィンドウで構成されています。また、1つのウィンドウが複数の「パレット」と呼ばれるウィンドウで構成されている場合もあります。ここでは、EDIUS Proの編集画面を構成しているウィンドウ、パレットの名称と機能について解説します。

EDIUS Proの編集画面

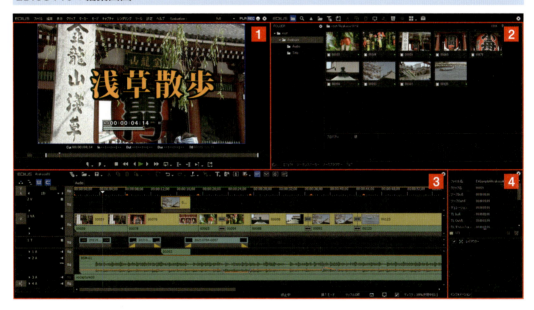

1 プレビューウィンドウ
「レコーダー」(REC)と呼ばれる、タイムラインでの編集状態を確認するウィンドウです。ウィンドウにはタイムラインカーソルのある位置のフレーム映像が表示され、エフェクトや合成した映像などがリアルタイムで表示されます。「デュアルモード」に切り替えると「プレイヤー」(PLR)ウィンドウが表示されます。

2 「ビン」ウィンドウ/「エフェクト」パレット/「マーカー」パレット/「ソースブラウザー」ウィンドウ

3 タイムラインウィンドウ

4 「インフォメーション」パレット

POINT

デュアルモードに変更する

メニューバーから「表示」**1** →「デュアルモード」**2** を選択するとデュアルモードに切り替わり、プレビューウィンドウの左に「プレイヤー」、右に「レコーダー」が表示されます。「プレイヤー」はクリップの確認で利用するウィンドウです。ビンにあるクリップをダブルクリックすると、プレイヤーで再生できます。また、In点やOut点の設定もできます。

SECTION CHAPTER 01 ▶ 起動とプロジェクト設定

03 EDIUS Proの起動と終了

ここでは、EDIUSを起動する方法を解説します。また、初回の起動時と、2回目以降の起動時に行う作業についても解説します。

▶ EDIUS Pro を起動する

EDIUS Pro のインストール時にデスクトップ上にショートカットのアイコンを作成しておくと、これをダブルクリックすることで EDIUS Pro を起動できます。

デスクトップのアイコンからEDIUS Proを起動する

▲インストール時にここをチェックしてオンにする。

▲デスクトップ上に作成されたアイコンをダブルクリックする。

スタートメニューから EDIUS Pro を起動する場合は「Grass Valley」フォルダーを開き、「EDIUS X」をクリックします。

スタートメニューからEDIUS Proを起動する

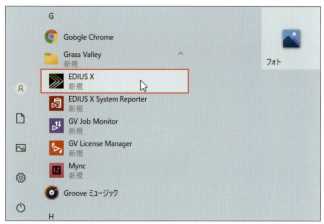
▲スタートメニューで「Grass Valley」フォルダー→「EDIUS X」の順でクリックする。

▶ 初回起動時の作業

EDIUS Pro をインストール後に初めて起動したとき、「プロジェクトの新規作成」からプロジェクトプリセットの作成を行う必要があります。ここで作成したプロジェクトプリセットを利用して、編集を開始するためです。

 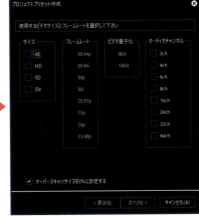

▶ 次回起動時の作業

初回起動時にプロジェクトプリセットを作成すれば、次回からは「プロジェクトの新規作成」をクリックして作成済みのプロジェクトプリセットを選択し、編集を開始できます。

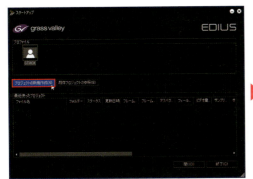 

▲起動後、「プロジェクトの新規作成」をクリックする。　▲作成したプロジェクトプリセットを選択する。

▶ EDIUS Pro を終了する

EDIUS Pro の終了は、「ファイル」メニューの「プロジェクトの保存」をクリックして編集中のプロジェクトを保存し❶、続いて「ファイル」メニューの「終了」をクリックします❷。

▲❶プロジェクトを保存してから、❷「終了」をクリックする。

SECTION **04**

CHAPTER 01 ▶ 起動とプロジェクト設定

初回起動時にプロジェクトプリセットを新規作成する

ここでは、EDIUS Proの初回起動時に行う、プロジェクトプリセットを新規作成する方法について解説します。なお、この作業は初回起動時に実行するほか、後から実行することもできます。

▶ プロジェクトプリセットを新規作成する

EDIUS Pro をインストールして初めて起動したとき、プロジェクトのプリセットを作成します。次回から EDIUS Pro を起動して新規に編集する場合、ここで作成したプリセットを選択するだけでプロジェクト設定ができます。

1 「プロジェクトの新規作成」を選択する

EDIUS Pro の初回起動時にシリアルナンバーを登録すると（P.18参照）、「スタートアップ」ダイアログが表示されます。ここで「プロジェクトの新規作成」を選択します。

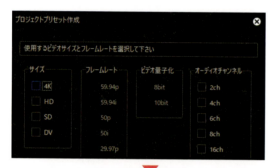

2 フォーマットを選択する

「プロジェクトプリセット作成」ダイアログが表示されるので❶、利用したいフォーマットを選択します。ここでは「サイズ」「フレームレート」「ビデオ量子化」「オーディオチャンネル」を選択し❷、「次へ」をクリックします❸。

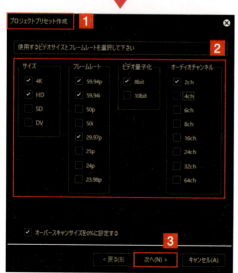

026

3 設定内容を確認する

手順 2 で選択した内容に該当するフォーマットが一覧で表示されます。チェックマークが入ったフォーマットのプリセットが作成されるので、不要なものはチェックマークをオフにします 1 。内容を確認して、「完了」ボタンをクリックします 2 。

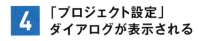

4 「プロジェクト設定」ダイアログが表示される

「プロジェクト設定」ダイアログが表示されます。「使用可能なプリセット」から、これから編集したい映像素材のプリセットを選択します。

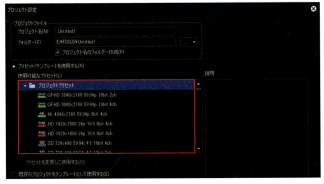

CHECK!

利用するサイズのフォーマットのみ選択すればよい

手順 2 のフォーマットの選択では、これから利用する可能性があるフォーマットを選択します。たとえば、「自分はフルハイビジョン形式しか利用しない」という場合は、ハイビジョン形式のフォーマットだけ選んでもかまいません。

SECTION 05 既存のプロジェクトプリセットを変更する

CHAPTER 01 ▶ 起動とプロジェクト設定

EDIUSのインストール時または初回起動時に設定したプロジェクトのプリセットは、後から設定内容の変更が可能です。ここでは、利用状況に応じてプリセットを変更する場合の手順について解説します。

▶ プリセットを変更する

既存のプリセットを変更したい場合は、変更したいプリセットを利用してプロジェクト設定を行い、表示された編集画面から変更を行います（プロジェクト設定については「1-06 プロジェクトを新規に作成する（簡易設定）」参照）。

1 プロジェクトを選択する

既存のプリセットを利用して設定を変更したいプロジェクトを選択し■、「OK」ボタンをクリックします■。

2 「システム設定…」を選択する

編集画面が表示されたら、メニューバーから「設定」→「システム設定…」を選択します。

3 「プロジェクトプリセット」を選択する

「システム設定」ダイアログが表示されたら、「アプリケーション」のツリーを表示し■、「プロジェクトプリセット」を選択します■。

4 プリセットを確認して「変更...」をクリックする

プリセットの画面が表示されたら、「使用可能なプリセット」で変更したいプリセットが選択されているかを確認し①、「変更...」ボタンをクリックします②。

5 設定項目を変更する

「プロジェクト設定」ダイアログが表示されるので、変更したい項目を修正し①、「OK」ボタンをクリックします②。

6 「OK」をクリックする

プロジェクトの設定が終了したら、「OK」をクリックして「システム設定」ダイアログボックスを閉じます。

CHECK!

プリセットを削除する
不要なプリセットを削除する場合は、「使用可能なプリセット」で削除したいプリセットを選択し①、「削除」ボタンをクリックします②。

SECTION CHAPTER 01 ▶ 起動とプロジェクト設定

06 プロジェクトを新規に作成する（簡易設定）

EDIUS Proで編集を行うには、最初にプロジェクトを作成します。通常は、先に作成したプロジェクトプリセットから選択するだけのかんたん設定でOKです。

▶ プリセットを利用してプロジェクトを設定する

EDIUS Proでビデオ編集をはじめるには「プロジェクト設定」が必要です。プロジェクト設定とは、編集で利用する映像データのファイル形式に合わせた作業用の設定です。プロジェクト設定が正しくできないと、希望する映像作品を作ることができません。
プロジェクト設定には映像フォーマットに関する専門知識が不可欠です。しかし、プリセットを利用すれば、専門的な知識がなくても手軽にプロジェクト設定ができます。

1 「プロジェクトの新規作成」を選択する

EDIUS Proを起動し、表示された「スタートアップ」ダイアログで「プロジェクトの新規作成」をクリックします。

2 プリセットを選択する

「プロジェクト設定」ダイアログが表示されるので、プロジェクト名を入力します 1 。「使用可能なプリセット」で、これから編集する映像データと同じファイル形式のプリセットを選択し 2 、「OK」ボタンをクリックします 3 。

3 EDIUS Proが起動する

EDIUS Proが起動し、編集画面が表示されます。

POINT

フルハイビジョン映像を編集する場合
現在、標準的な映像ファイルとして利用されているフルハイビジョン形式の映像を編集する場合は、手順 2 では以下のプリセットを選択します。

・フルハイビジョン映像
　HD 1920 × 1080 29.97p 16:9 8bit
・フルハイビジョン映像（60pの場合）
　HD 1920 × 1080 59.94p 16:9 8bit
・長時間録画モードで撮影したハイビジョン映像
　HD 1440 × 1080 29.97p 16:9 8bit

POINT

次回も同じプロジェクトを編集するには？
一度設定したプロジェクトで編集作業を行って終了し、次回も同じプロジェクトを編集するには、「スタートアップ」ダイアログの「最近使ったプロジェクト」に表示されているプロジェクト名を選択して 1 、「開く」ボタンをクリックして 2 EDIUS Pro を起動します。

CHECK!

プロジェクトファイルからEDIUS Proを起動する
プロジェクトを設定すると、プロジェクトファイルが作成されます。このプロジェクトファイルをダブルクリックすることでもEDIUS Proを起動できます。この場合は、前回編集を終了したところから作業を再開できます。

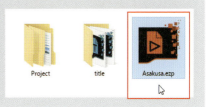

SECTION 07 プリセットを変更してプロジェクトを新規に作成する（詳細設定）

CHAPTER 01 ▶ 起動とプロジェクト設定

プロジェクトを設定する際、各設定項目のオプションやパラメータを変更したい場合は、「プロジェクト設定」ダイアログの「詳細設定」で設定できます。ここでは、詳細設定の方法について解説します。

▶ 手動でプロジェクト関連の項目を設定する

プロジェクトを設定する際、利用する映像データによっては、プリセットではなくオリジナルの設定で作成したいこともあります。そのような場合は、「プリセットの内容を変更する」方法でプロジェクト設定をします。

1 「プロジェクトの新規作成」を選択する

EDIUS Pro を起動し、表示された「スタートアップ」ダイアログで「プロジェクトの新規作成」をクリックします。

2 ベースになるプリセットを選択する

「プロジェクト設定」ダイアログでプロジェクト名を入力し①、プロジェクトのベースにしたいプリセットを選択します②。「プリセットを変更して使用する」のチェックボックスをオンにして③、「OK」ボタンをクリックします④。

3 各項目を設定する

詳細な設定ができる「プロジェクト設定」ダイアログが表示されるので、必要に応じて各項目を設定します。設定後、「OK」ボタンをクリックすると、EDIUS Pro の編集画面が表示されます。
なお、「映像プリセット」と「音声プリセット」、「詳細設定」には、右ページのようなオプションの選択・設定ができます。

① 「映像プリセット」「音声プリセット」「詳細設定」の設定項目

「プロジェクト設定」ダイアログの「映像プリセット」と「音声プリセット」では、以下の選択ができます。

●映像プリセット
一般的に利用されているビデオフォーマットの一覧が用意されています。出力時の環境に合わせたビデオフォーマットをリストから選択します。

●音声プリセット
一般的に利用されているオーディオフォーマットの一覧が用意されています。出力時の環境に合ったオーディオフォーマットをリストから選択します。

POINT

「フレーム」と「フレームレート」

動画の動きは、JPEGなどの複数の写真を高速で切り替えて表現しています。要するにアニメーションですね。動画は写真をアニメーションしているのです。ビデオ編集では、アニメーションする写真のことを「フレーム」と呼びます。1秒間に何枚のフレームを切り替えるかを示す単位が「フレームレート」で、「fps（frames per second）」と表記します。
通常、テレビ放送やハイビジョン映像では、1秒間で約30枚のフレームを切り替えており、29.97fpsと正確な数値で表記されます。

「プロジェクト設定」ダイアログの「詳細設定」をクリックすると、以下の項目を設定できます。

●フレームサイズ
フレームのサイズを選択します。

●アスペクト比
フレームのアスペクト比（長辺と短辺の比率）を選択します。

●フレームレート
フレームレートを選択します。

●フィールドオーダー
インターレースの場合、偶数、奇数の表示順を選択します。また、プログレッシブも選択できます。

●ビデオチャンネル
カラーチャンネルのほかに、アルファチャンネルのある／なしを選択します（P.35「用語」参照）。

●ビデオ量子化ビット数
映像データをデジタル化するためのビット数を選択します。

●プルダウンタイプ
この項目はフレームレートが24pまたは23.98pの場合にのみ設定できます。23.98pの映像を59.94iや59.94pの映像信号に変換するときの変換方法を選択します。
「プルダウン（2-3-2-3）」は最終的な出力をする場合に選択します。再編集には向きませんが、滑らかに再生できます。
「アドバンスドプルダウン（2-3-3-2）」は編集中の一時ファイルとして保存する場合に選択します。再生の滑らかさは劣ります。

●立体視編集
3D編集を行う場合は「有効」に設定します。

●サンプリングレート
オーディオデータのサンプリングレートを選択します。一般的に、48000Hz（48KHz）は音楽CDの音質と同じです。

●オーディオチャンネル
利用したいオーディオのチャンネル数を選択します。たとえば、5.1chのデータの場合は「6ch」を選択します。

●オーディオ量子化ビット数
オーディオデータをデジタル化する際のビット数を選択します。

②「設定」の設定項目

「プロジェクト設定」ダイアログの「設定」では、以下の項目を設定できます。

●レンダリングフォーマット
出力時のデフォルトのコーデックを選択します。コーデックによっては、「詳細設定…」でレンダリングの品質を設定できます。

●オーバースキャンサイズ
オーバースキャンする際の比率を選択します（P.35「用語」参照）。

●**音声基準レベル**
設定した音声レベルを「0」としてメモリ表示します。

●**レイアウターリサンプリング法**
レイアウター（P.198 参照）で映像を変形するときのリサンプリング方法を選択します。

▶ ③「シーケンス設定」の設定項目

「プロジェクト設定」ダイアログの「シーケンス設定」では、以下の項目を設定できます。

●**TCプリセット**
タイムラインでの開始タイムコードを設定できます。たとえば、テレビ局などで利用される「1hスタート」の「01:00:00:00」などが設定できます。

●**TCモード**
タイムコード表示をドロップフレームにするか、ノンドロップフレームにするかを選択します。

●**予定全長**
完成時のデュレーション（長さ）が決まっている場合に設定します。

▶ ④「トラック設定」の設定項目

「プロジェクト設定」ダイアログの「トラック設定」では、以下の項目を設定できます。

●**トラック／ VAトラック／ Tトラック／ Aトラック**
デフォルトで表示されるトラック数を設定します。

●**チャンネルマップ**
各トラックのオーディオ出力チャンネルを設定できます。

> **用語**
>
> **コーデック**
> 動画データをそのまま保存すると、ファイルサイズが非常に大きくなってしまいます。そこで、ファイルとして出力する際は「圧縮」という処理が行われます。これを「エンコード」といいます。動画の再生時には圧縮したデータを元に戻しますが、これを「デコード」といいます。そして、エンコード・デコードを行うプログラムのことを「コーデック」といいます。現在、ネットワーク上で標準コーデックとして利用されているのが「H.264」（えいち・どっと・にいろくよん）と呼ばれるものです。H.264 で圧縮された動画ファイルの拡張子は「.mp4」になります。

> **用語**
>
> **アルファチャンネル**
> 映像を合成した場合のマスク情報を保持するチャンネルのことです。YCbCr は Y（輝度信号）と CbCr（色差信号）のことで、色を表現する信号です。映像は RGB のままではなく、YCbCr に変換してカラー情報を管理しています。

> **用語**
>
> **オーバースキャン**
> 有効画素数のうち、外縁部の一部が領域外になり、映像欠けするのが「オーバースキャン」です。これに対して、全映像が画面内部に表示されて、外縁部に非表示の画素領域が発生するのがアンダースキャン、有効画素にピタリと全映像が表示されるのがフルスキャンです。

SECTION 08 既存のプロジェクトをテンプレートとして利用する

CHAPTER 01 ▶ 起動とプロジェクト設定

すでに設定されているプロジェクトを再利用して、新規にプロジェクトを設定することができます。この場合は、既存のプロジェクト設定をテンプレートとして利用することになります。

▶ 既存のプロジェクトをテンプレートとして利用する

ここでは、プリセットを利用してプロジェクト設定をするのではなく、既存のプロジェクトをテンプレートとして利用して、プロジェクト設定をする方法を解説します。といっても、既存のプロジェクトはプリセットを利用して設定されているので、基本的にはプリセットを利用して設定するのと同じです。

1 「プロジェクトの新規作成」を選択する

EDIUS Pro を起動し、表示された「スタートアップ」ダイアログで「プロジェクトの新規作成」をクリックします。

2 「既存のプロジェクトをテンプレートとして使用する」を選択する

「プロジェクト設定」ダイアログで、「プロジェクト名」に新しいプロジェクト名を入力し❶、「既存のプロジェクトをテンプレートとして使用する」をチェックします❷。これで「参照」ボタンが利用できるようになるので、クリックします❸。

3 既存のプロジェクトを選択する

「プロジェクトを開く」ダイアログが表示されるので、既存のプロジェクトファイルを選択し❶、「開く」ボタンをクリックします❷。

4 「説明」を確認する

「プロジェクト設定」ダイアログに戻るので、「プロジェクト名」で選択したプロジェクトのファイル名❶と、「説明」でそのプロジェクト設定の内容を確認して❷、「OK」ボタンをクリックします❸。なお、ほかの設定を利用する場合は「使用可能なプリセット」からプリセットを選択します。

5 プロジェクトが表示される

プロジェクトが表示されます。これによって、他のプロジェクトを新しいプロジェクトとして再利用できます。この場合、既存プロジェクトで利用されていたクリップなどがそのまま表示されます。

SECTION 09 編集中のプロジェクトをテンプレートとして登録する

CHAPTER 01 ▶ 起動とプロジェクト設定

ここでは、現在編集で利用しているプロジェクトをテンプレートとして出力する方法を解説します。出力したテンプレートは、出力時に編集していた内容と同じ状態で利用できます。

▶ 編集中のプロジェクトから出力する

編集中のプロジェクトから、そのプロジェクト設定をテンプレートとして出力します。出力したテンプレートは、名前を設定して、新たに EDIUS Pro に登録します。

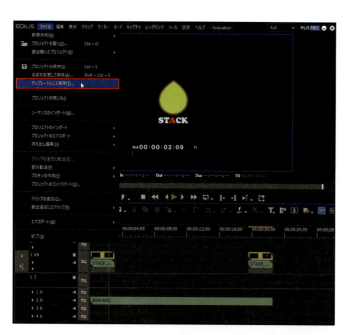

1 「テンプレートとして保存」を選択する

編集中のプロジェクトから、メニューバーの「ファイル」→「テンプレートとして保存...」を選択します。または、タイムラインウィンドウの操作ボタンにある「プロジェクトの保存」ボタンをクリックし、「テンプレートとして保存...」を選んでも同じです。
たとえば、毎回同じエピローグ、プロローグ、BGM を利用し、本編だけを新しい映像に変えた動画を作成する場合、本編だけがない状態でプロジェクトをテンプレートとして利用できます。

2 テンプレート名を入力して保存する

「テンプレートとして保存」ダイアログが表示されるので、テンプレートファイルを保存するフォルダーを指定し1、テンプレート名を入力します2。なお、フォルダー名はデフォルトで「Project Templates」と設定されているので、そのまま利用することもできます。設定の完了後、「OK」ボタンをクリックすると3テンプレートが保存されます4。

▶ 出力したテンプレートを利用する

ここでは、テンプレートとして出力したプロジェクトファイルを利用して、新しいプロジェクトを設定します。この場合、テンプレート出力として利用していた編集内容がそのまま引き継がれます。つまり、プロジェクトをコピーして利用したのと同じ状態になります。

1 「プロジェクトの新規作成」を選択する

EDIUS Pro を起動し、表示された「スタートアップ」ダイアログで「プロジェクトの新規作成」をクリックします。

2 出力したテンプレートを選択する

「プロジェクト設定」ダイアログで新しいプロジェクト名を入力し1、「使用可能なプリセット」の右にあるスライダーを下方向にドラッグします2。「プロジェクトテンプレート」という項目に出力したテンプレート名が表示されるので、これを選択して3「OK」ボタンをクリックします4。

SECTION CHAPTER 01 ▶ 起動とプロジェクト設定

10 プロジェクトプリセットの書き出しと読み込み

プリセットの「インポート」機能と「エクスポート」機能を利用すると、既存のプロジェクトをファイルとして出力できます。これによって、ほかのユーザーとプリセットを共有することができます。

▶ プリセットをエクスポートする

現在 EDIUS Pro で利用しているプリセットから、共有したいプリセットを「エクスポート」機能を利用して出力します。なお、選択したプリセットだけエクスポートするほか、すべてのプリセットをエクスポートすることも可能です。

1 「システム設定...」を選択する

動画の編集を行っている編集画面で、メニューバーから「設定」→「システム設定...」を選択します。

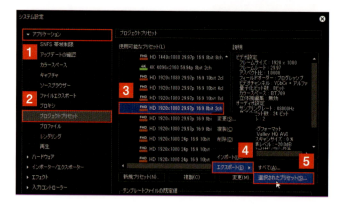

2 「選択されたプリセット...」を選択する

表示された設定画面で「アプリケーション」❶→「プロジェクトプリセット」❷を選択します。ここで、「使用可能なプリセット」から出力したいプリセットを選択して右クリックし❸、コンテクストメニューの「エクスポート」❹→「選択されたプリセット...」❺を選択します。

3 プリセットを保存する

「名前を付けて保存」ダイアログが表示されるので、ファイルの保存先フォルダーを開き❶、「ファイル名」にわかりやすい名前を入力して❷「保存」ボタンをクリックします❸。なお、ファイル名はデフォルトでプリセット登録されている名前が表示されるので、そのままでもかまいません。出力したファイルを、利用したいユーザーに送ります。

4 「OK」ボタンをクリックする

エクスポートが完了するとメッセージが表示されるので、「OK」ボタンをクリックします。

▶ プリセットをインポートする

EDIUS Pro にプリセットデータを読み込む場合は、他のプリセットで編集中の EDIUS Pro から、「プロジェクトプリセット」の画面でインポートを実行します。

1 「インポート...」を選択する

「プロジェクトプリセット」の画面で「使用可能なプリセット」のエリア上（ほかのプリセット上でも OK）で右クリックし①、コンテキストメニューの「インポート...」を選択します②。

2 ファイルを選択する

「ファイルを開く」ダイアログが表示されるので、インポートしたいプリセットのファイルを選択し①、「開く」ボタンをクリックします②。

3 プリセットが表示される

前ページでエクスポートしたプロジェクトがプリセット一覧に登録されて表示されるので、選択して①、「OK」ボタンをクリックします②。

SECTION CHAPTER 01 ▶ 起動とプロジェクト設定

11 編集途中でプロジェクト設定を変更する

現在編集しているプロジェクトの設定内容は、途中で変更する必要が生じることもあります。そのような場合は、作業中の編集画面からプロジェクト設定を変更できます。

▶ 編集画面でプロジェクト設定を変更する

ここでは、現在編集中のプロジェクトの設定内容を変更して、そのまま編集を継続する方法を解説します。操作例として、FHDのプロジェクトを4Kのプロジェクトに変更してみましょう。

1 「プロジェクト設定…」を選択する

EDIUS Proでの編集中に、タイムラインウィンドウの操作ボタン「プロジェクトの保存」の右にある▽ボタンをクリックし**1**、メニューから「プロジェクト設定…」を選択します**2**。メニューバーから「設定」→「プロジェクト設定…」を選択しても同じです。

2 「現在の設定」を選択する

「プロジェクト設定」ダイアログが表示されて、「使用可能なプリセット」の「現在の設定」が選択されています**1**。右にある「説明」の内容を確認し**2**、「現在の設定を変更…」ボタンをクリックします**3**。

3 プロジェクトを設定する

現在編集しているプロジェクトの詳細が表示されるので、変更したい項目を修正します①。「詳細設定」をクリックすると②、より詳細な設定パネルが表示されます。修正が完了したら、「OK」ボタンをクリックします③。
たとえば、「映像プリセット」を 4K に変更します。

4 編集画面が表示される

変更した設定の内容に応じて、編集画面が再設定されて表示されます。この場合、テロップはサイズ変更されないので、テキストサイズが小さくなります。

CHECK!

編集中に新規プロジェクトを作成する

ビデオの編集中に、新規にプロジェクト設定することも可能です。編集中のタイムラインから、操作ボタン「シーケンスの新規作成」の右にある▽ボタンをクリックし①、「プロジェクトの新規作成」を選択します②。プロジェクトの保存を促すメッセージが表示されるので、「はい」ボタンをクリックします③。続いて「プロジェクト設定」ダイアログが表示されるので、プロジェクト名とプリセットを選択します。

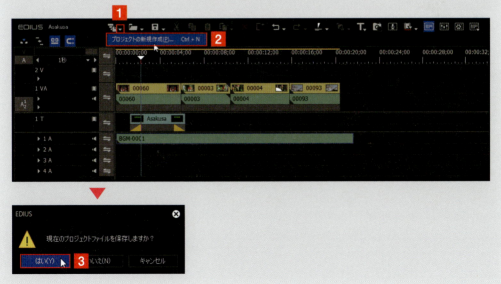

SECTION CHAPTER 01 ▶ 起動とプロジェクト設定

12 4Kクリップ編集用のプロジェクトを設定する

4Kの映像を編集する場合は、プロジェクトの設定に少し注意が必要です。じつは、4Kには2つの解像度があり、自分はどの解像度を利用すればよいのかを見極める必要があるのです。

● 2つの4Kタイプ

一般的に「4K」と呼ばれている規格ですが、じつは2つのタイプがあります。1つはデジタルシネマの上映規格であるDCIで、フレームサイズは4096×2160ピクセルあります。
2つめはテレビでの利用を考慮した規格で、フレームサイズは3840×2160ピクセルです。ちょうどフルHDの4面分に相当することから、QFHD（Quad Full HD）とも呼ばれています。
どちらも4Kですが、プロジェクト設定する場合はどちらの規格のデータを利用するのかを判断する必要があります。EDIUS Proでは以下のようにプリセットが用意されています。

DCI規格の4Kのプリセット

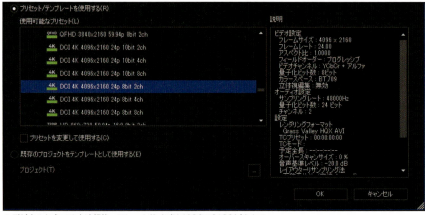

▲デジタルシネマの上映規格。フレームサイズは4096×2180ピクセル。

QFHDの4Kのプリセット

▲テレビでの利用を考慮した規格。フレームサイズは3840×2160ピクセル。

▶ 4K（QFHD）のプリセット設定を行う

ここでは、ビデオカメラや一眼レフカメラ等で撮影した4K映像で、QFHD（Quad Full HD）タイプの映像データを素材とする場合のプリセット設定の手順を解説します。

これから編集する4K映像データ

・フレームサイズ：3840×2160
・フレームレート：24.00fps
・オーディオサンプリングレート：48kHz
・オーディオチャンネル：ステレオ（2ch）

1 「プロジェクトの新規作成」を選択する

EDIUS Pro を起動し、表示された「スタートアップ」ダイアログで「プロジェクトの新規作成」をクリックします。

2 プリセットを選択する

「プロジェクト設定」ダイアログが表示されるので、プロジェクト名を入力します❶。「使用可能なプリセット」から編集する4K映像データと同じファイル形式のプリセット（ここでは「QFHD 3840x2160 24p 8bit」）を選択し❷、「OK」ボタンをクリックします❸。

CHECK!

HDR のプロジェクト設定

HDR（P.316参照）は大きく分けて、PQ（Perceptual Quantization）方式と HLG（Hybrid Log Gamma）方式という2つのカラースペースタイプがあります。これらを利用するには、編集中にプロジェクトを変更する方法（P.42参照）で設定します。「プロジェクト設定」の「詳細設定」を表示し、「カラースペース」のプルダウンメニューで PQ または HLG を選択します。

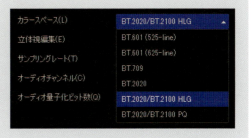

SECTION 13　4Kのプロジェクトプリセットを新規に作成する

CHAPTER 01 ▶ 起動とプロジェクト設定

プロジェクトプリセットの新規作成で作成したプリセット以外にもプリセットが必要になった場合、新規にプリセットを作成することができます。ここでは、4Kに関するプリセットを作成する例で手順を解説します。

▶ 新規にプリセットを作成する

新規にプリセットを作成する場合、「プロジェクトプリセット作成」ダイアログボックスを利用します。編集画面を表示したら、以下の手順で新規にプリセットを作成します。

1 「システム設定…」を選択する

EDIUS Pro を起動して編集画面が表示されたら、メニューバーから「設定」→「システム設定…」を選択します。
EDIUS Pro を起動する手順については、P.24 を参照してください。

2 「プロジェクトプリセット」を選択する

システム設定のダイアログが表示されたら、「アプリケーション」のツリーを表示し1、「プロジェクトプリセット」を選択します2。

3 「プリセット設定ウィザード…」を選択する

プリセットの画面が表示されたら、「プリセット設定ウィザード…」ボタンをクリックします。

4 フォーマットを選択する

利用したい映像データに合わせたフォーマットを選択し1、「次へ」ボタンをクリックします2。
PQ方式またはHLG方式の設定方法は、P.45のCHECK!を参照してください。

5 設定内容を確認する

プリセットの内容が一覧表示されるので、確認して「完了」ボタンをクリックします。

6 「OK」ボタンをクリックする

「システム設定」ダイアログに戻ると、「使用可能なプリセット」に設定したプリセットが登録されています1。確認したら、「OK」ボタンをクリックします2。

SECTION 14 プロジェクトのオートセーブ

CHAPTER 01 ▶ 起動とプロジェクト設定

プロジェクトを設定して編集作業を開始する前に、EDIUS Proの「オートセーブ」機能を確認しておきましょう。突然のパソコンのシャットダウンなど、まさかのときに役立ちます。

▶ オートセーブの確認と設定

「オートセーブ」は、編集中のプロジェクトファイルを自動的に保存してくれる機能です。突然、パソコンがフリーズやシャットダウンしてしまったときでも、慌てずに再編集が可能になります。

1 設定パネルを表示する

メニューバーから「設定」→「ユーザー設定」→「アプリケーション」→「プロジェクト」を選択すると、プロジェクトファイル関連の設定パネルが表示されます。ここの「オートセーブ」で自動保存を設定します。

❶保存先
オートセーブで保存される、プロジェクトファイルの保存場所を指定します。デフォルトではプロジェクトの保存先フォルダーが指定されています。変更する場合は、「指定のフォルダー」のチェックをオンにして、右の「参照」をクリックして保存先フォルダーを指定します。

❷個数
オートセーブで保存されるプロジェクトファイルの数を設定します。デフォルトでは「10個」です。自動保存されたプロジェクトファイルは、ファイル名にタイムスタンプが設定されています。

❸間隔
何分間隔でオートセーブを実行するかを設定します。デフォルトでは「3分」です。つまり、編集中にパソコンがハングアップした場合などでも、最後に自動保存されたプロジェクトファイルをダブルクリックして開けば、最悪でも3分前の状態から編集を再開できます。

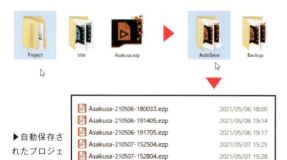

▶自動保存されたプロジェクトファイル。

POINT
オートセーブの有効／無効

オートセーブはデフォルトで有効のため、「プロジェクトフォルダー」のチェックはデフォルトでオンです。このチェックをオフにすると、オートセーブが無効になります。

POINT
バックアップについて

プロジェクトのパネルにある「バックアップ」は、オートセーブとは別に、自動的にプロジェクトファイルのバックアップを保存する機能の設定項目です。つまり、EDIUS Proには2重のセーフティ機能が備えられているのです。

CHAPTER

02

THE PERFECT GUIDE FOR EDIUS Pro

[クリップ管理]

SECTION 01 CHAPTER 02 ▶ クリップ管理

MyncとEDIUS Proの関係を理解する

Mync（ミンク）はEDIUS Proに付属している、素材データを管理するためのアプリケーションです。EDIUS Proを使いこなすためには、Myncの機能を理解することが重要です。

▶ Myncについて

EDIUS Proをインストールすると、付属する「Mync」という素材管理ツールも自動的にインストールされます。Myncはこれまで「GV Browser」と呼ばれていた素材管理ツールが機能アップして、EDIUS Proから独立したアプリケーションです。このため、EDIUS Proとは別にMyncだけ単体でも販売されています。

▲Myncの素材管理画面。EDIUS ProをインストールするとMyncもインストールされる。

●Myncの主な機能

Myncはさまざまなフォーマットの素材データを「ライブラリ」のクリップとして登録できます。各クリップをさらにカテゴリーごとに分類できます。

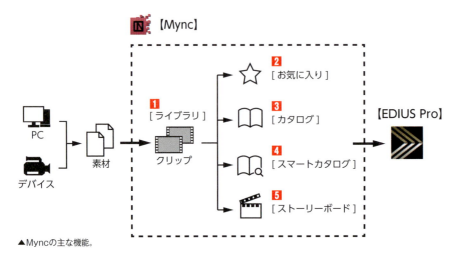

▲Myncの主な機能。

① パソコンやビデオカメラから取り込んだ「素材」データは、Myncの「ライブラリ」に登録されます。ライブラリに登録された素材を「クリップ」と呼びます。
② ライブラリで選択したクリップを「お気に入り」に登録します。
③ ライブラリで選択したクリップをテーマごとに分けて、「カタログ」としてグループ化します。
④ 検索条件で選択したクリップを「スマートカタログ」としてグループ化します。
⑤ 「ストーリーボード」でムービーを編集・新規作成することも可能です。

Myncは素材管理だけでなく、かんたんな操作でムービーを作成する、YouTubeなどの動画共有サイトにアップロードするなど、簡易編集ツールとしても利用できます。Myncの主な機能を以下にまとめます。

・素材データを管理する。
・動画素材をプレビュー(再生)する。
・素材を「サムネイル」「詳細」「カレンダー」「タイムライン」などの形式で表示できる。
・ビデオカメラ、スマートフォン、USBメモリ、SDメモリカードなどにある素材を自動認識する。
・「ストーリーボード」で動画の簡易編集ができる。
・YouTube、Facebook、Vimeoなどの動画配信サイトにアップロードできる。
・2 in 1、タッチパネルでの操作にも対応する。

●EDIUS Proとの連携機能

EDIUS Proに付属するMyncを利用すると、EDIUS Proと連携してスムーズな編集作業ができます。もちろん、Myncを利用せず、EDIUS Proのソースブラウザーだけでも作業は可能ですが、Myncで素材の仕分け作業をしておけば、EDIUS Proですぐに編集作業を開始できます。
MyncとEDIUS Proは以下のような連携が可能です。

・EDIUS ProのソースブラウザーにMyncのカタログやスマートカタログなどのグループ分けをそのまま表示できる。
・Myncのストーリーボードで編集した内容をクリップとして扱うことができる。
・MyncのカタログをXML出力して、EDIUS Proのビンにインポートできる。
・EDIUS Proの編集結果をMyncに登録し、YouTubeなどの動画共有サイトにアップロードできる。
・Myncのみ単体でも起動できる。

POINT

単体販売のMyncはEDIUS Proと連携できない
EDIUS Proと連携できるのは、EDIUS Proに付属しているMyncだけです。単体で発売されているMyncはEDIUS Proとの連携はできません。なお、Myncと連携できるのは、Myncを標準で搭載するようになったEDIUS Pro 8以降のバージョンに限られます。

Myncで素材を取り込む

Myncの状態をそのままEDIUS Proで利用できる

▲EDIUS Proの「Mync」フォルダー内はMyncと同じフォルダーで構成されている。

▲Myncは素材データを「ライブラリ」のクリップとして登録する。

▶ Mync が対応するフォーマット

Mync は以下のようなフォーマットに対応しています。

●ファイル拡張子

.3g2、.3gp、*.aac、*.amc、*.asf、*.avi、*.bmp、*.dib、*.dif、*.dpx、*.dv、*.ec3、*.emf、*.f4v、*.gif、*.icb、*.idx、*.iff、*.jfif、*.jpeg、*.jpg、*.m2a、*.m2p、*.m2t、*.m2ts、*.m2v、*.m4v、*.mod、*.mov、*.mp4、*.mpeg、*.mpg、*.mpo、*.mpv、*.mts、*.mxf、*.pct、*.pic、*.pict、*.png、*.psd、*.r3d、*.rgb、*.rle、*.sgi、*.targa、*.tga、*.tif、*.tiff、*.tod、*.ts、*.vda、*.vob、*.vro、*.vst、*.wmf、*.wmv、*.ac3、*.wma、*.mp2、*.mp3、*.wav、*.w64、*.m4a、*.mpa、*.ogg、*.aif、*.aiff

●ビデオコーデック

H.264/AVC、MPEG-2、Grass Valley HQ、Grass Valley HQX、Grass ValleyLossless、
DV、DVCPRO、DVCPRO HD、Motion JPEG、Apple ProRes、
非圧縮 YUV、非圧縮 UYVY、非圧縮 v210、非圧縮 RGB、
Windows Media Video、REDCODE、Sony RAW、Canon RAW

●オーディオコーデック

PCM、Dolby Digital(AC-3)、MPEG-4 AAC、MP3、Ogg Audio、Windows Media Audio

SECTION

CHAPTER 02 ▶ クリップ管理

02 Myncを起動する

実際にMyncを起動してみましょう。Myncを起動するには、デスクトップ上に置いたMyncのアイコンから起動する方法と、EDIUS Proから起動させる方法の2種類があります。

▶ アイコンからMyncを起動する

Myncのインストール時にデスクトップに作成されたアイコンをダブルクリックします。Myncの起動時に「インフォメーションボード」が表示された場合は閉じてください。

デスクトップ上のアイコンからMyncを起動する

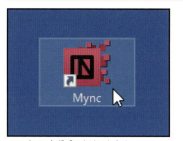
▲アイコンをダブルクリックする。

▲インフォメーションボードが表示されたら「閉じる」ボタンをクリックする。

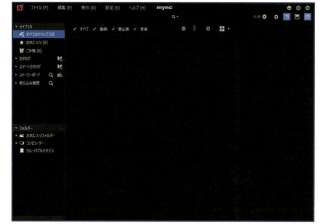
▲Myncが起動して編集画面が表示される。

CHECK!

次回から表示されないようにする
次回からインフォメーションボードを表示させたくない場合は、一番下の「次回から表示しない」のチェックボックスをオンにしてから閉じます。

▶ EDIUS Pro から Mync を起動する

すでに EDIUS Pro が起動している場合は、EDIUS Pro 上から Mync を起動することができます。

EDIUS ProのメニューからMyncを起動する

▲メニューから「ツール」→「Mync」を選択する。

▲インフォメーションボードが表示されたら「閉じる」ボタンをクリックする。

CHECK!

次回から表示されないようにする
次回からインフォメーションボードを表示させたくない場合は、一番下の「次回から表示しない」のチェックボックスをオンにしてから閉じます。

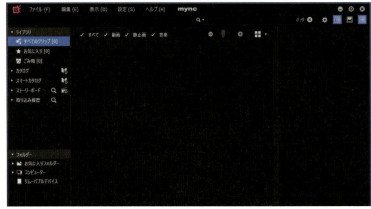

▲Myncが起動して編集画面が表示される。

CHECK!

単体販売の Mync は起動できない
EDIUS Pro から起動できるのは、EDIUS Pro に付属している Mync のみです。単体販売されている Mync は EDIUS Pro からは起動できません。

SECTION 03　ビデオカメラからクリップを取り込む

CHAPTER 02 ▶ クリップ管理

ここでは、パソコンに接続したビデオカメラから、ダイレクトにMyncに映像データを取り込む方法を解説します。ビデオカメラ以外のデバイスからも、同様の方法で取り込むことができます。

▶ 保存場所を設定する

ビデオカメラなどのデバイス（周辺機器）から映像データを取り込む場合、取り込んだ映像データを保存しておくフォルダーを設定します。この設定は、Myncを起動する前でも後でもかまいません。画面では、Eドライブの「Sample」フォルダーの中に「Video」というフォルダーを作成した状態で解説しています。

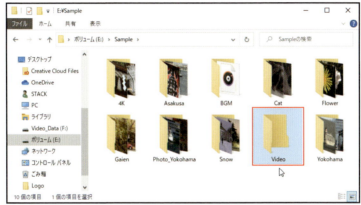

▲Eドライブの「Sample」フォルダー内に「Video」という名前のフォルダーを作成する。

▶ ビデオカメラから取り込む

パソコンにビデオカメラを接続して、映像データを取り込んでみましょう。

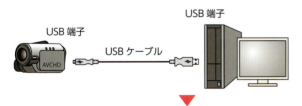

1　パソコンにビデオカメラを接続する

パソコンにビデオカメラを接続して、ビデオカメラとリンクさせます。リンクの方法はビデオカメラのマニュアルで確認しましょう。

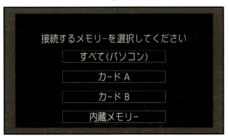

2 デバイス名をクリックする

パソコンにビデオカメラなどのデバイスを接続すると、Mync のサイドバーにある「リムーバブルデバイス」にデバイス名が表示されます。このデバイス名をクリックします。

3 サムネイルが表示される

ビデオカメラ内にある映像データが、サムネイルとしてサムネイルペインに一覧表示されます。

4 サムネイルにチェックを入れる

まだ Mync のライブラリに登録されていない映像データは、サムネイルの左上のチェックマークがオンの状態で表示されます。Mync に読み込みたくないデータはチェックマークをオフにします。基本的には全データを読み込んで、利用する／しないは Mync 側で判断するようにします。

POINT

利用したビデオカメラ
本書で紹介している映像は、キヤノンのビデオカメラ「G20」を利用して撮影しています。

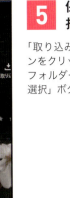

5 保存先フォルダーを指定する

「取り込み先のフォルダー」の「...」ボタンをクリックし■、映像データを保存するフォルダーを指定して■、「フォルダーの選択」ボタンをクリックします■。

6 「取り込み」をクリックする

Myncの画面に戻り、「取り込み」ボタンをクリックすると、デバイスから指定したフォルダーへ映像データが取り込まれます。

7 クリップとして登録される

映像ファイルが読み込まれて、サムネイルの右下に赤い■が表示されます。動画ファイルは指定したフォルダーにコピーされています。

SECTION CHAPTER 02 ▶ クリップ管理

04 ハードディスク／SSD上から クリップを取り込む

ビデオカメラなどからコピーしたり、インターネットからダウンロードするなどして、パソコン上に保存した映像などの素材ファイルを、Myncに取り込んでみましょう。

▶ ハードディスク／SSD上のデータを取り込む

映像ファイルなどの素材ファイルがパソコン上に保存されている場合は、指定フォルダーにコピーするのではなく、データ情報をMyncに登録して読み込ませます。

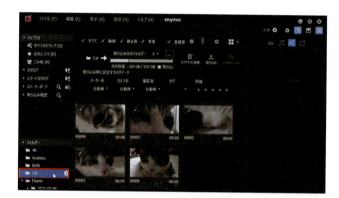

1 映像データが保存されているフォルダーを指定する

サイドバーの「フォルダー」から、映像データが保存されているフォルダーをクリックして選択します。

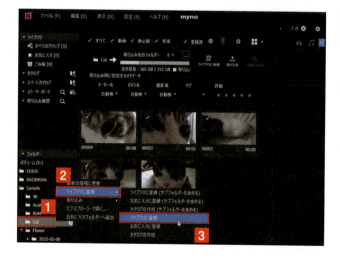

2 「ライブラリに登録」を選択する

クリップが保存されているフォルダーを右クリックし 1、「ライブラリに登録」 2 →「ライブラリに登録」 3 の順で選択します。なお、サブフォルダーが存在し、そこにもクリップがある場合は、「ライブラリに登録（サブフォルダーを含める）」を選択します。

3 動画データが追加される

動画データの情報が追加されます。この時、取り込まれるのは動画データの保存場所の情報だけで、動画ファイルそのものはMyncにコピーで取り込まれるわけではありません。また、情報を追加したメッセージもWindowsから表示されます。

058

POINT

取り込んだことを示す印
サムネイルの右下には、Myncに取り込んだことを示す赤い■が表示されます。

CHECK!

右クリックでの取り込み
サムネイルペインに表示されているサムネイルを右クリックすることでも、取り込む方法を選択できます。ファイル単位での取り込みなどで、この方法を利用すると便利です。

CHECK!

取り込み方法の違い
チェックした映像データなどの素材の取り込み結果は、取り込み方法によって異なります。

■**ライブラリに登録** チェックを入れたファイルがライブラリに登録されます。データファイル自体はフォルダーにコピーされません。ハードディスク／SSD上に映像ファイルなどがある場合、ファイルを二重に保存することによる空き容量の不足を防ぐことができます。

■**取り込み** チェックを入れたファイルがライブラリに登録されると同時に、フォルダーにもコピーされます。

■**一括取り込み** チェックの有無にかかわらず、すべてのファイルをライブラリに登録して、フォルダーにもコピーします。

▶ ハードディスク／SSD上にあるAVCHDフォルダー

筆者もそうなのですが、ビデオカメラの映像データを外付けハードディスク／SSDなどにコピーする場合、よくAVCHDフォルダーごとコピーします。こうすると、MyncにはAVCHDフォルダーが保存されているドライブやフォルダー（ここでは「Video」）が、「ビデオカメラ」として認識されます。

▲ハードディスク上にコピーされたAVCHDフォルダー。

▲「コンピューター」にあるドライブ名の中に、ビデオカメラとして表示される。

▲取り込みが実行できる。

SECTION 05　Myncの画面構成を確認する

CHAPTER 02 ▶ クリップ管理

Myncは操作に応じて、編集画面が自動的に切り替わります。ここでは、メインであるクリップ操作時と、映像データなどを取り込む際の画面構成について解説します。

● Myncのメインダイアログ

Myncでクリップを操作する際に表示されるメインダイアログについて解説します。Myncを起動すると、通常はこの状態で表示されます。

1 メニューバー　Myncのコマンドを表示し、選択／実行できます。

2 検索バー　Myncに登録したクリップを検索します。

3 ツールバー　画面レイアウトの切り替えや、Myncの設定ダイアログボックスを表示できます。

4 サイドバー（ライブラリ）　サムネイルペインに表示されるカテゴリーを切り替えます。たとえば、「すべてのクリップ」「カタログ」「スマートカタログ」などを切り替えて表示できます。

5 サイドバー（フォルダー）　パソコン上のフォルダーがツリー状態で表示されます。パソコンのほか、ビデオカメラやSDメモリーカードなどもアイコンが表示され、内容を表示できます。

6 切り替えバー　サムネイルとして表示されるデータタイプの選択や、サムネイルの表示方法を切り替えます。

7 サムネイルペイン　クリックしたクリップやパソコン、デバイスのフォルダー内にある素材データをサムネイル形式で表示できます。

8 プロパティペイン　サムネイルペインで選択したクリップの詳細情報が表示されます。

● 切り替えバーの「表示方法」で表示を変更する

「切り替えバー」にある「表示方法」ボタンをクリックすると、サムネイルペインでの表示を以下のように切り替えて表示できます。

▲切り替えバーにある「表示方法」ボタン。

詳細

▲「詳細」で表示したサムネイルペイン。ファイル情報が同時に表示される。

タイムライン

▲「タイムライン」で表示したサムネイルペイン。撮影した日付順(HDDにコピーした日付順)に表示される。

カレンダー

▲「カレンダー」で表示したサムネイルペイン。カレンダーに撮影した日が表示される。

▲カレンダーのサイズは変更できる。

▶ 映像取り込み時の画面構成

映像データを取り込むとき、サイドバーにある「フォルダー」パネルでフォルダーやデバイスを選択すると、サムネイルペインの表示が変わります。ここでは、取り込みに関するさまざまな設定を行うことができます。

1 サムネイルペインに表示する素材のタイプを選択します。
2 取り込んだデータの保存先フォルダーを設定、変更します。
3 取り込み先フォルダーの場所や空き容量が表示されます。
4 取り込む素材に付加するメタデータを設定できます。

「フォルダー」パネル

SECTION 06　CHAPTER 02 ▶ クリップ管理

取り込んだクリップの情報を確認する

Myncに取り込んだクリップの情報を確認しましょう。Myncの「プロパティペイン」では、素材のファイル名やファイルフォーマット、撮影日、デュレーション（映像の長さ）などが確認できます。

▶ プロパティペインを利用する

Myncの「プロパティペイン」を利用すると、取り込んだクリップの情報を確認したり、クリップに対してコメントを設定したりできます。素材の整理・管理にとても便利な機能です。

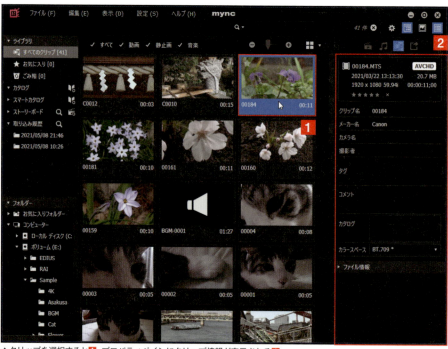

▲クリップを選択すると **1**、プロパティペインにクリップ情報が表示される **2**。

●表示される情報

プロパティペインでは、以下のようなクリップ情報が確認できます。

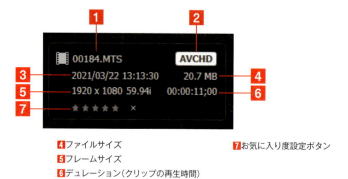

1 ファイル名
2 ファイルフォーマット
3 撮影日時
4 ファイルサイズ
5 フレームサイズ
6 デュレーション（クリップの再生時間）
7 お気に入り度設定ボタン

●プロパティペインを表示する

Myncを起動してもプロパティペインが表示されていない場合は、ツールバーの「プロパティ」をクリックするか、メニューバーの「表示」→「プロパティ」を選択して表示します。

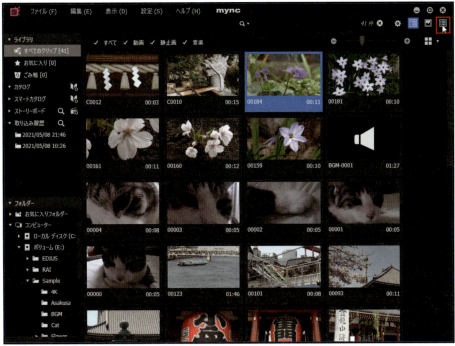

▲ツールバーの「プロパティ」をクリックしてプロパティペインを表示させる。

詳細データを確認する

クリップのより詳細なデータを知りたい場合は「ファイル情報」を表示します。さらに詳細なファイルの情報を確認できます。

▲「ファイル情報」をクリックする。

▲詳細情報が表示される。

SECTION

CHAPTER 02 ▶ クリップ管理

07 Myncでクリップを再生する

Myncに取り込んでライブラリに登録したクリップを再生してみましょう。クリップを再生する方法は、「プレビューペイン」を利用する、ダブルクリックするなどがあります。

▶ プレビューペインを表示する

最初にプレビューペインを表示します。メニューバーの「表示」→「プレビュー」を選択するか、ツールバーの「プレビュー」ボタンをクリックします。

▲メニューバーの「表示」→「プレビュー」を選択するか…。

▲「プレビュー」ボタンをクリックすると…。

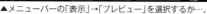

▲プレビューペインが表示される。なお、一覧でクリップが選択されていると、データがプレビューできる状態で表示される。

▶ クリップを再生する

プレビューペインが表示されたら、サムネイルペインで再生したいサムネイルを選択します。コントローラーの「再生」ボタンをクリックして、クリップを再生します。

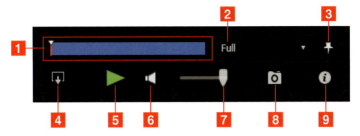

1 タイムライン スライダー（▽）を左右にドラッグして、内容を確認できます。
2 プレビュー品質 リアルタイム再生時の画質を変更できます。
3 操作エリアの表示／非表示 コントローラーを常時表示するかどうかを切り替えできます。
4 チャンネル選択 再生時の音声チャンネルを選択できます。
5 再生／一時停止 再生を開始／一時停止します。
6 音声ミュート切り替え 音声のオン／オフを切り替えます。
7 音量スライダー 再生時の音量を調整します。
8 静止画の切り出し 表示されているフレームを静止画像として出力します。出力した画像はライブラリに登録されます。
9 メニュー プレビューペインから実行できるコマンドを選択するメニューが表示されます。

▲サムネイルを選択して**1**、「再生」ボタンをクリックすると**2**再生される。

CHECK!

ドラフトプレビュー
ノートパソコンなどで編集する場合は「プレビュー品質」を利用すると、プレビュー時の画質を選択することで、リアルタイム再生のパフォーマンスを変更できます。要するに、スムーズな再生が可能になります。また、EDIUS X Pro からカラースペース（P.45 参照）も選択できるように変更され、HDR のプレビューにも対応しています。

▲画質を選択できる。

SECTION
CHAPTER 02 ▶ クリップ管理

08 カタログでクリップを整理する

Myncはライブラリに取り込んだクリップを「カタログ」で管理します。さらに「スマートカタログ」を利用すると、クリップを目的に応じて絞り込んで管理したり、活用したりできます。

▶ カタログとスマートカタログについて

Myncのライブラリに取り込んだクリップは分類されることなく、すべてが1つの「ライブラリ」というフォルダーに保存された状態になります。一言でいえば、Myncに取り込んだすべてのクリップが「ごちゃ混ぜ」になっている状態です。
Myncの「カタログ」と「スマートカタログ」は、クリップを撮影日やテーマなどで絞り込んで収集・管理するための機能です。

●カタログの機能

Myncのカタログでは、ユーザーが設定した撮影日、撮影場所、テーマなどの名前でカタログを作成し、ライブラリに取り込んだクリップをカタログ単位でグループにまとめることができます。

▲カタログはライブラリのクリップをグループにまとめることができる。

●スマートカタログ

Myncのスマートカタログでは、カタログで整理したクリップから、さらに撮影者やお気に入りのレベルなど検索条件を設定することでクリップを絞り込み、条件に一致したクリップを自動的に新しいグループとして登録することができます。カメラ名や撮影者など、複数の検索条件を設定できます。

▲スマートカタログは、カタログでグループ分けしたクリップに検索条件を設定して、さらに絞り込むことができる。

▶ カタログを利用したMyncでの編集作業の流れ

カタログやスマートカタログを利用してクリップを管理すると、目的に応じてクリップをグループ分けできるほか、「ストーリーボード」を利用したムービー作成もできます。
また、EDIUS Proに付属のMyncであれば、グループ分けしたカタログやストーリーボードをEDIUS Proのソースブラウザーに表示したり、EDIUS Proのビンに登録したりできます。

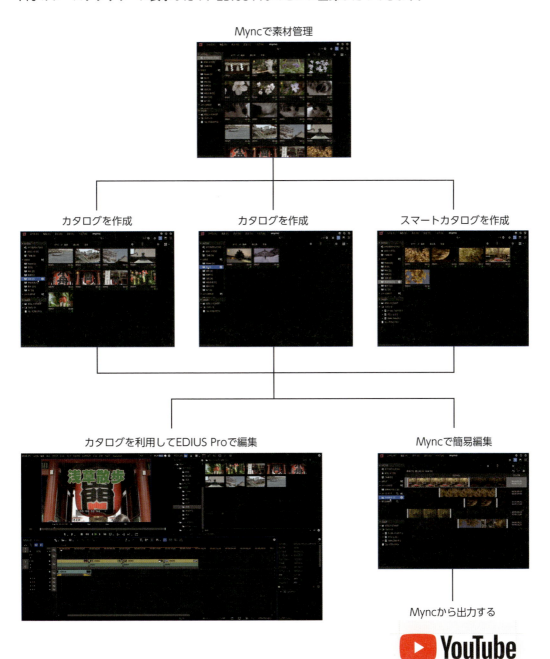

▲EDIUS Proの編集画面で、Myncのカタログからクリップをタイムラインに配置して編集する。

SECTION 09 カタログでクリップをグループ分けする

CHAPTER 02 ▶ クリップ管理

ここではカタログを利用して、ライブラリに登録したクリップをグループ分けする方法について解説します。

▶ カタログを新規に作成する

クリップをグルーピングするためのカタログを新規に作成してみましょう。

1 サイドバーのアイコンをクリックする

サイドバーの「カタログ」の右にあるアイコンをクリックします。

2 「新しいカタログ」が作成される

サイドバーの「カタログ」に「新しいカタログ」が作成されます。

3 新しいカタログ名を入力する

作成された「新しいカタログ」が選択されて薄青色の表示であることを確認し、新しいカタログ名を入力して Enter キーを押します。「新しいカタログ」が選択状態でない場合は、名前の部分をクリックして選択します。

CHECK!

カタログを削除する

不要なカタログを削除する場合は、カタログ名の上で右クリックし[1]、表示されたメニューから「削除」を選択します[2]。

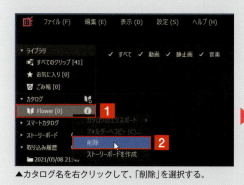
▲カタログ名を右クリックして、「削除」を選択する。

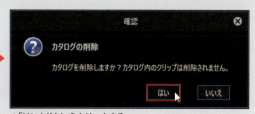
▲「はい」ボタンをクリックする。

▶ カタログにクリップを登録する

作成したカタログに、ライブラリからクリップを登録します。

1 クリップをドラッグ&ドロップする

ライブラリの「すべてのクリップ」をクリックしてクリップ一覧を表示し[1]、カタログに登録したいクリップを、先に設定したカタログ名にドラッグ&ドロップします[2]。

2 クリップが登録される

クリップが登録されると、カタログ名の右にある数字が変わり、登録されているクリップ数が表示されます。
また、登録したクリップのサムネイル右下には、カタログに登録されていることを示す緑の■が表示されます。

3 カタログを表示する

サイドバーのカタログ名をクリックすると1、登録したクリップのサムネイルが表示されます2。

POINT

緑色のマークが表示される

カタログに登録したクリップをライブラリで一覧表示すると、サムネイルの右下に緑色の四角い■マークが表示されます。

▲サムネイルに緑色の■マークが表示される。

CHECK!

複数のクリップを登録する

複数のクリップをまとめて登録したい場合は、Shift キーや Ctrl キーを押しならクリップを複数選択し、ドラッグ＆ドロップします。

CHECK!

カタログ名の表示／非表示と移動

「カタログ」の先頭にある▽ボタンをクリックすると1、カタログ名の表示／非表示を切り替えることができます2。また、カタログ名をドラッグすると3、配置順を変更できます4。

▲ボタンをクリックするとカタログ名が非表示になる。　▲カタログ名を移動する。

SECTION

CHAPTER 02 ▶ クリップ管理

10 Myncでクリップをスマートカタログに整理する

ここではスマートカタログを新規作成する方法と、作成したスマートカタログにクリップを登録する方法について解説します。

▶ スマートカタログの新規作成

「スマートカタログ」を新規に作成する方法は、前述の「カタログ」の作成と同じです。スマートカタログはMyncのサイドバーで作成します。

1 サイドバーのアイコンをクリックする

サイドバーの「スマートカタログ」の右にあるアイコンをクリックします。

2 「スマートカタログ」が作成される

サイドバーの「スマートカタログ」に「新規スマートカタログ」が作成されます。

3 新しいスマートカタログ名を入力する

作成された「新規スマートカタログ」が薄青色の表示であることを確認し、新しいスマートカタログ名（ここでは「お好みレベル3」）を入力して、Enterキーを押します。

▶ スマートカタログの検索条件を設定する

新規に作成したスマートカタログにクリップを登録します。ここでは以下の条件に合ったクリップをライブラリから検索し、登録します（「評価」についてはSECTION11で解説します）。

> [検索条件]
> すべてのクリップの中から「評価」のレベルが「3」（☆が3つ）のクリップの動画だけを、スマートカタログの「お好みレベル3」に登録する。

1 「編集」を選択する

スマートカタログの名前を右クリックし**1**、「編集」を選択します**2**。なお、編集画面が表示されている場合は、手順**2**の操作から開始します。

2 検索対象を設定する

検索設定ダイアログが表示されます。ここでは、動画のデータだけを選択するために、検索条件の「タイプ」を選択し**1**、検索内容として「動画」だけを選択した状態にします**2**。

3 検索条件を追加する

さらに、検索条件として「評価」を追加し、「☆マークが3つのクリップを絞り込む」という設定を追加します。「＋」ボタンをクリックし**1**、▽**2**→「評価」**3**→「☆☆★★」**4**の順でクリックします。

4 クリップが自動的に登録される

検索条件と一致した、評価の☆マークが3つのクリップがサムネイル一覧に表示されるので、検索設定ダイアログの右上にある「×」をクリックしてダイアログを閉じます。スマートカタログに登録されたクリップが一覧表示されます。

CHECK!

検索条件を削除する
追加した検索条件を削除するには、条件設定領域の右にある「×」マークをクリックします。

SECTION 11 | CHAPTER 02 ▶ クリップ管理

クリップに「評価」を設定する

ライブラリやカタログに登録されているクリップには、「評価」として5段階の☆マークを設定できます。ここではクリップを5段階評価し、段階に応じて☆マークを設定する方法を解説します。

▶ 5段階評価を☆マークで設定する

Myncでは、クリップに対する評価を☆マーク1個から5個までの5段階で設定できます。

1 「プロパティペイン」を表示する

ランクを設定したいクリップを選択し**1**、「ツールバー」の「プロパティ」をクリックし**2**、プロパティペインを表示します**3**。

2 ランクをクリックする

ここでは「星3つ」の評価を与えるため、左から3個目の☆をクリックします**1**。クリップの評価を設定すると、サムネイルの左上の☆マークが黄色い★マークに変わります**2**。

▶ ランクを取り消す

設定したランクを取り消す場合は、☆マーク5個の右にある「×」をクリックします**1**。対象のクリップの評価が削除されて、サムネイルの★マークはもとの状態に戻ります**2**。

CHAPTER
▼
03

THE PERFECT GUIDE FOR EDIUS Pro

[クリップ編集]

SECTION **01** CHAPTER 03 ▶ クリップ編集

「ビン」ウィンドウに クリップを登録する

EDIUS Proで利用する映像素材などは、Myncを利用してタイムライン等に配置できますが、EDIUS Pro自身の「ビン」ウィンドウにクリップを登録することもできます。ここでは、ファイル単位でのクリップの読み込み方法について解説します。

▶ クリップを「ビン」ウィンドウに取り込む

ここでは、ハードディスク／SSD上に保存されている映像ファイルをEDIUS Proの「ビン」ウィンドウにファイル単位で取り込む方法を解説します。

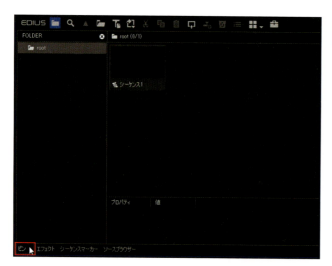

1 「ビン」ウィンドウを開く

EDIUS Proを起動したら、「ビン」タブをクリックして「ビン」ウィンドウを開きます。ここには、現在編集中の「シーケンス」がすでに登録されています。

2 「クリップの追加」を選択する

ツールバーから「クリップの追加」ボタンをクリックします。

CHECK!

ライブラリ一覧画面の何もない部分を右クリックし**1**、コンテクストメニューの「クリップの追加...」を選択することでも**2**、「ファイルの場所」ウィンドウを開くことができます。

3 ファイルを選択する

「ファイルの場所」ウィンドウで映像ファイルが保存されているフォルダーを開き■、利用したいファイルを選択して■、「開く」ボタンをクリックします■。

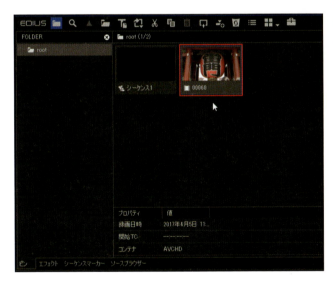

4 クリップとして登録される

選択した映像ファイルがクリップとして「ビン」ウィンドウに登録されます。

CHECK!

複数ファイルの選択
手順■で Shift キーを押しながら2つのファイルを選択すると、間にあるファイルをまとめて選択できます。Ctrl キーを押しながらファイルを選択すると、離れている複数のファイルを選択できます。

POINT

「クリップ」について
EDIUS Pro に取り込んだ映像、画像、オーディオデータなどのファイルを「クリップ」と呼びます。映像ファイルを「ムービークリップ」または「ビデオクリップ」、画像ファイルを「イメージクリップ」、オーディオファイルを「オーディオクリップ」と呼ぶ場合もあります。本書では、単にクリップという場合はムービークリップを指しています。

▶「ビン」ウィンドウからクリップを削除する

「ビン」ウィンドウに登録したクリップを削除するには、クリップ上で右クリックして、コンテクストメニューから「登録の解除」を選択します。

1 「登録の解除」を選択する

「ビン」ウィンドウに登録したクリップ上で右クリックして 1、コンテクストメニューから「登録の解除」を選択します 2。

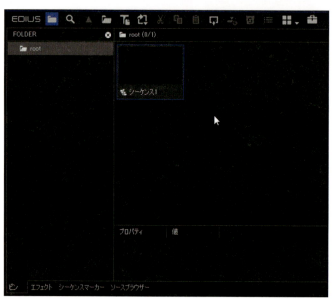

2 クリップが削除される

「ビン」ウィンドウからクリップが削除されます。

POINT

「切り取り」と「登録の解除」の違い

手順 1 でコンテクストメニューの「切り取り」を選択することでもクリップを削除できます。「切り取り」の場合は削除したクリップを別のフォルダーに再登録できますが、「登録の解除」の場合は再登録できません。

SECTION 02

CHAPTER 03 ▶ クリップ編集

「ビン」ウィンドウに フォルダーを登録する

「ビン」ウィンドウにはフォルダー単位でもクリップを登録できます。フォルダー内のすべての映像データなどが「ビン」ウィンドウに登録されて、フォルダーがフォルダービューに登録されます。

▶ フォルダーごと EDIUS Pro に登録する

ここでは、ハードディスク／ SSD 上に保存されている映像ファイルを、EDIUS Pro の「ビン」ウィンドウにフォルダー単位で取り込む方法について解説します。

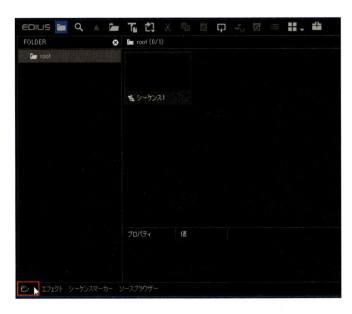

1 「ビン」ウィンドウを開く

EDIUS Pro を起動し、「ビン」タブをクリックして「ビン」ウィンドウを開きます。ここには、現在編集中の「シーケンス」がすでに登録されています。

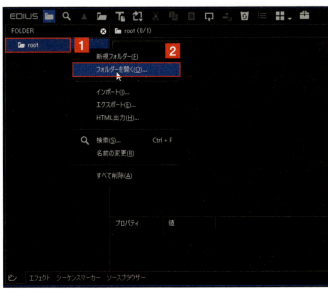

2 「フォルダーを開く」を選択する

「ビン」ウィンドウの左側にある「フォルダービュー」で「root」を右クリックし①、コンテクストメニューの「フォルダーを開く…」を選択します②。

079

3 フォルダーを選択する

利用したい映像データが保存されているフォルダーを選択し1、「フォルダーの選択」ボタンをクリックします2。

4 フォルダーが登録される

選択したフォルダーがフォルダービューに登録されます。選択したフォルダーは、手順2で右クリックした「root」フォルダーの下に階層構造で登録されます。また、フォルダーをクリックすると1、登録されたクリップが表示されます2。

▶ フォルダービューのフォルダーを削除する

フォルダービューに登録したフォルダーを削除するには、削除したいフォルダーを右クリックして、コンテクストメニューの「フォルダーの削除」を選択します。

1 「フォルダーの削除」を選択する

削除したいフォルダーを右クリックして1、「フォルダーの削除」を選択します2。

2 「はい」ボタンをクリックする

確認のダイアログで「はい」ボタンをクリックすると、フォルダーが削除されます。

POINT

フォルダー削除時の注意

フォルダービューに登録したフォルダーを削除すると、その中に保存されているクリップも同時に削除されます。ただし、EDIUSのフォルダービューから削除されるだけで、ハードディスク／SSD上のデータは削除されません。このため、再度読み込むことが可能です。

SECTION 03 「ビン」ウィンドウの表示モードを変更する

CHAPTER 03 ▶ クリップ編集

「ビン」ウィンドウには「フォルダービュー」という、フォルダーを階層構造で表示する領域があります。この階層表示は必要に応じてオン/オフできます。

▶ 「ビン」ウィンドウの構成

「ビン」ウィンドウには、登録されたクリップやフォルダーを管理するための、以下のような機能が備えられています。

1. **操作ボタン** クリップを操作するための各種ボタンを備えています。
2. **フォルダービュー** 「ビン」ウィンドウに登録したフォルダーが階層構造で表示されます。フォルダーの操作については、CHAPTER 4を参照してください。
3. **クリップビュー** 「ビン」ウィンドウに登録したクリップが一覧表示されます。
4. **メタデータビュー** 選択したクリップのメタデータが表示されます。
5. **ズームボタン** スライダーをドラッグして、クリップビューに表示されているクリップのサムネイル表示サイズを拡大/縮小できます。

▶ 「ビン」ウィンドウの表示モードを切り替える

「ビン」ウィンドウにあるフォルダービューは、必要に応じて表示/非表示を切り替えできます。操作ボタンの1つ「フォルダーの表示/非表示」ボタンをクリックするごとに、フォルダービューの表示/非表示が切り替わります。

1 「フォルダーの表示/非表示」ボタンをクリックする

メニューの「フォルダーの表示/非表示」ボタンをクリックします。

2 フォルダービューが非表示になる

フォルダービューが非表示になります。再度「フォルダーの表示/非表示」ボタンをクリックすると、フォルダービューが表示されます。

▶ メタデータを表示する

クリップの一覧でクリップを選択すると**1**、そのクリップのさまざまな情報である「メタデータ」が表示されます**2**。スライダーを上下にドラッグすると、隠れている情報が表示されます**3**。

▲クリップを選択するとメタデータが表示される。

POINT

「プロパティ」でメタデータを確認する

クリップのサムネイル上で右クリックして、コンテクストメニューの「プロパティ」を選択すると、メタデータの詳細を確認できます。

SECTION CHAPTER 03 ▶ クリップ編集

04 フォルダービューを操作する

「ビン」ウィンドウのフォルダービューでは、登録したフォルダーの移動や削除、フォルダーの新規作成などの操作が可能です。ここでは、フォルダービューでのフォルダーの操作について解説します。

▶ フォルダーを階層化する

フォルダービューに登録したフォルダーは階層化することができます。たとえば、以下の画面では「root」フォルダーの下に3つのフォルダーが登録してあります。このうち「Flower」フォルダーを「Asakusa」フォルダーの下位に移動させます。

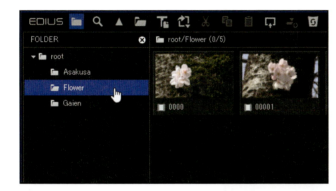

1 移動するフォルダーをクリックする

「Flower」フォルダーをクリックします。

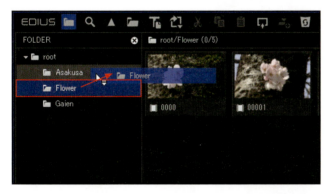

2 フォルダーをドラッグ&ドロップする

「Flower」フォルダーを「Asakusa」フォルダーの上にドラッグ&ドロップします。

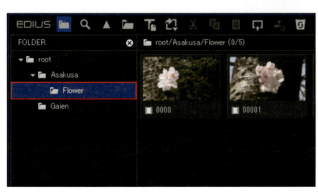

3 フォルダーが階層化される

フォルダーが階層化されて、「Asakusa」フォルダーの下位に「Flower」フォルダーが表示されます。

▶ フォルダーの階層構造を閉じる

フォルダーを階層化すると、開いているフォルダーの左に▽マークが表示されています。このマークをクリックすると、階層化を閉じたり開いたりできます。

1 ▽をクリックする

「Asakusa」フォルダーの左に表示されている▽をクリックします。

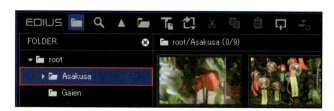

2 階層化が閉じる

階層化が閉じて、「Flower」フォルダーが表示されなくなります。

▶ フォルダーを新規作成する

フォルダーはSECTION 02の操作で登録するほか、必要に応じて新規作成できます。

1 「新規フォルダー…」を選択する

親としたいフォルダー上で右クリックし①、コンテキストメニューから「新規フォルダー」を選択します②。

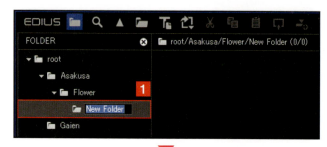

2 フォルダー名を入力する

「New Folder」というフォルダーが作成されます①。フォルダー名を入力して、Enterキーを押すとフォルダー名が変更されます②。

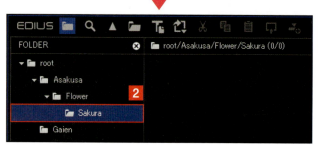

SECTION 05 | CHAPTER 03 ▶ クリップ編集

タイムラインウィンドウの機能を確認する

タイムラインウィンドウは、EDIUS Proで編集作業を行うためのメインウィンドウです。ここではタイムラインウィンドウの構成と、そこにある操作ボタンの名称や機能について解説します。

▶ タイムラインウィンドウの名称と機能

「タイムラインウィンドウ」は「トラック」に映像やオーディオなどのクリップを配置したり、トリミング、エフェクトなどの編集作業を行うためのメイン領域です。

1. **モードバー** タイムラインのモードを切り替えるボタンが配置されています。
2. **操作ボタン** 編集で利用する各種ボタンが配置されています(次ページ参照)。
3. **シーケンスタブ** タイムラインに配置した複数のクリップを1つにまとめて管理するタブです。
4. **タイムスケール設定** タイムスケールの表示単位を変更できます。
5. **タイムスケール** タイムラインの時間の基準が「時間メモリ」で表示されます。
6. **トラックヘッダー** 各トラックの設定をする機能が備えられています。トラックの追加/削除もできます。
7. **トラック** クリップを配置する領域です。トラックの追加/削除ができます。
8. **未使用部分** クリップを配置するためのトラックを追加します。
9. **クリップ** トラックに配置したクリップです。
10. **ビデオ部** クリップに映像データがあることを示しています。
11. **オーディオ部** クリップに音声データがあることを示しています。
12. **ミキサー部** キーイングなどの設定ができます。
13. **タイムラインカーソル** タイムライン上での再生位置や編集位置を示しています。
14. **ステータスバー** ファイル数やクリップ数、クリップの再生状況、編集モード、バックグラウンドジョブの処理状況などを表示します。モードバーやタイムラインの操作ボタンにマウスポインターを合わせると、ボタンの名称が表示されます。

操作ボタンの種類と機能

タイムラインウィンドウの操作ボタンには、編集で利用するさまざまなボタンが準備されています。

1 **シーケンスの新規作成** シーケンスを新規に作成します。
2 **プロジェクトを開く** 既存のプロジェクトを開きます。
3 **プロジェクトの保存** 現在編集中のプロジェクトを保存します。
4 **切り取り** トラックに配置したクリップを切り取り、一時的にメモリ上に保存します。
5 **コピー** 選択したクリップをコピーします。
6 **現在位置へ貼り付け** 切り取り、あるいはコピーしたクリップを、タイムラインカーソルの位置にペーストします。
7 **クリップの置き換え** 選択したクリップを切り取ったクリップ、あるいはコピーしたクリップで置き換えます。
8 **削除** 選択したクリップを削除します。
9 **リップル削除** クリップを削除する際、ギャップを発生しないで削除します。
10 **元に戻す** 直前の操作を取り消します。
11 **やり直し** 直前の操作をやり直します。
12 **カットポイントの追加** クリップをタイムラインカーソル位置で分割します。
13 **既存のトランジションの適用** デフォルトトランジションを適用します。
14 **タイトルの作成** タイトルを作成します。
15 **現在位置のフレームをビンへ追加** タイムラインカーソルのある位置のフレームを切り出し、イメージクリップとして「ビン」ウィンドウに登録します。
16 **ボイスオーバーの表示／非表示** ボイスオーバーパネルの表示／非表示を切り替えます。
17 **In/Out点間のレンダリング** In点とOut点の間をレンダリングします。
18 **「ビン」ウィンドウの表示／非表示** 「ビン」ウィンドウの表示／非表示を切り替えます。
19 **オーディオミキサーの表示／非表示** オーディオミキサーの表示／非表示を切り替えます。
20 **ベクトルスコープ／ウェーブフォームの表示／非表示** ベクトルスコープ／ウェーブフォームの表示／非表示を切り替えます。
21 **パレットの表示／非表示** パレットの表示／非表示を切り替えます。

SECTION 06

CHAPTER 03 ▶ クリップ編集

トラックとトラックヘッダーの機能を理解する

クリップのタイプによって、クリップを配置するトラックの種類は決まっています。トラックを管理するトラックヘッダーには、さまざまな機能が搭載されています。

▶ トラックの種類

EDIUS Pro では、タイムラインウィンドウのトラックにクリップを配置して編集作業を行います。その際、配置するクリップの種類に応じて、トラックの種類が分かれています。

1 Vトラック ビデオ、静止画、タイトル、カラーバー、カラーマットクリップを配置できるトラックです。オーディオ付きビデオクリップを配置すると、オーディオ部分が無効になり、ビデオクリップだけが配置されます。オーディオ部分はAトラックに配置されます。

2 VAトラック ビデオ、オーディオ、静止画、タイトル、カラーバー、カラーマットクリップを配置できるトラックです。オーディオ付きビデオクリップを配置すると、ビデオとオーディオ部分がリンクされた状態で配置されます。

3 Tトラック ビデオ、静止画、タイトル、カラーバー、カラーマットクリップを配置できるトラックです。Tトラックに配置したクリップは、V／VAトラックよりも優先して表示されます。オーディオ付きビデオクリップを配置すると、オーディオ部分が無効になり、ビデオクリップだけが配置されます。

4 Aトラック オーディオクリップを配置します。オーディオ付きビデオクリップを配置すると、ビデオ部分はVトラックに配置され、オーディオクリップだけが配置されます。

▶ トラックヘッダーの機能

トラックヘッダーは、トラックに配置したクリップの編集を有効／無効にする、表示をオン／オフするなどの機能を備えています。

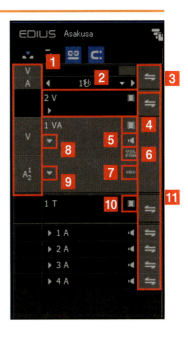

1 トラックパッチ ビンでクリップを選択したり、クリップをプレイヤーに表示したりすると、そのクリップが持つチャンネル（ソースチャンネル）がトラックパッチに表示されます。ソースブラウザーのクリップを選ぶと、プロジェクト設定のチャンネルマップにしたがって、ソースチャンネルが表示されます。トラックパッチの位置は、クリップをショートカットキーやボタンでタイムラインに配置する際、ソースチャンネルがどのトラックに配置されるかを表します。

2 トラックパネル トラックの選択／非選択が切り替わります。

3 一括ロックパネル すべてのトラックに対してシンクロのオン／オフを設定できます。

4 ビデオのミュート ビデオトラックが再生されなくなります。

5 オーディオのミュート オーディオトラックが再生されなくなります。

6 ボリューム／パン ボリューム調整モードとパン調整モードを切り替えます。

7 ミキサー トランスペアレンシー調整モードのオン／オフを切り替えます。

8 オーディオ拡張ボタン オーディオのラバーバンドを表示します。

9 ミキサー拡張ボタン トランスペアレンシーのラバーバンドが表示されます。

10 タイトル タイトルの表示／非表示を切り替えます。

11 ロックパネル トラックのシンクロックのオン／オフを設定できます。右クリックするとトラックをロックできます。

SECTION **07** | CHAPTER 03 ▶ クリップ編集

トラックヘッダーの幅とトラックの高さを変更する

トラックヘッダーでは、トラックヘッダーとトラックの接合点、またはトラックヘッダーとトラックヘッダーの接合点を操作することで、トラックヘッダーの幅やトラックの高さを変更できます。

▶ トラックヘッダーの幅を変更する

トラックヘッダーの右端にマウスポインターを合わせてドラッグすると、トラックヘッダーの幅を変更できます。

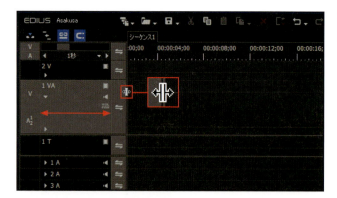

1 トラックヘッダーにマウスポインターを合わせる

目的のトラックヘッダーの右端にマウスポインターを合わせます。マウスポインターの形が変化します。

2 マウスを右方向にドラッグする

そのままマウスポインターを右方向にドラッグすると、トラックヘッダーの幅が広がります。

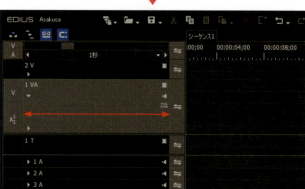

▶ ドラッグでトラックの高さを変更する

トラックの高さを変更すると、トラックに配置したクリップのサムネイルのサイズを変更できます。トラックヘッダーでトラックパネルの上端／下端にマウスを合わせ、マウスポインターの形が変化したらドラッグします。

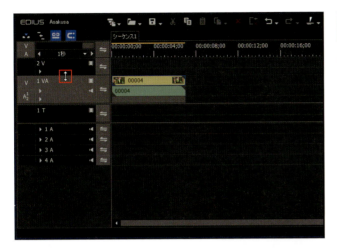

1 トラックパネルにマウスポインターを合わせる

目的のトラックパネルの上端／下端にマウスポインターを合わせます。マウスポインターの形が変化します。

2 マウスを上方向にドラッグする

そのままマウスを上方向にドラッグすると、トラックパネルの高さが広がります。

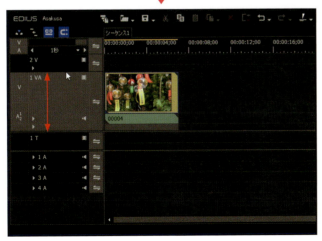

▶ メニューで選択してトラックの高さを変更する

トラックの高さは、トラックパネルを右クリックすると表示されるコンテキストメニューから変更することもできます。

1 トラックパネルを右クリックする

目的のトラックパネルを右クリックします。

2 高さの段階を選択する

表示されたコンテキストメニューの「高さの変更（現在のトラック）」をクリックし①、高さの段階を選択すると②、トラックの高さが変更されます。

CHECK!

シーケンスタブでメニュー表示

シーケンス名のタブを右クリックしても①、トラックの高さを変更するメニューが表示されます②。高さは、サブメニューから選択できます③。

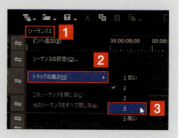

SECTION 08 | CHAPTER 03 ▶ クリップ編集

トラック名を変更する

トラック名は必要に応じて変更できます。ここではトラック名を変更する手順を紹介します。

▶ トラック名を変更する

トラック名は編集内容などに応じて変更できます。たとえば、ビデオ用、オーディオ用、タイトル用など配置するクリップに応じて変更すると、シーケンス構成がわかりやすくなります。

1 「名前の変更」を選択する

トラックパネルを右クリックして①、コンテクストメニューから「名前の変更」を選択します②。

2 トラック名を変更する

トラック名が選択された状態になるので、新しいトラック名を入力して[Enter]キーを押します。

POINT

「トラック番号」は自動的に設定される

トラック名の先頭に表示されている「トラック番号」はトラックの並び順を表示します。トラック番号はトラックを移動すると自動的に変更されるので（P.95参照）、ユーザーが変更することはできません。

SECTION 09 トラックを選択する

CHAPTER 03 ▶ クリップ編集

トラックの移動、削除、ロックなど、トラック全体に何らかの設定をしたい場合は、対象のトラックを選択する必要があります。ここでは、トラックの選択方法について解説します。

▶ 複数のトラックを選択する

トラックを編集できないようにロックする、トラックを削除するなど、トラック全体に何らかの設定・操作をしたい場合は、トラックを選択する必要があります。複数のトラックに同じ設定・操作をする場合は、トラックをまとめて選択すると効率よく作業できます。

1 トラックパネルをクリックする

トラックパネルをクリックすると、そのトラックを選択できます。

2 Ctrl キーを押しながらトラックパネルをクリックする

Ctrl キーを押しながらトラックパネルをクリックすると、複数の任意のトラックを選択できます。

POINT

複数のトラックを連続して選択する

Shift キーを押しながら2つのトラックパネルをクリックすると、その間にあるトラックを連続して選択できます。

SECTION CHAPTER 03 ▶ クリップ編集

10 トラックをロックする

あるトラックに対して、ほかのトラックでの編集結果の影響を反映したくない場合、あるいはそのトラック自体を編集できないようにしたい場合は、トラックを「ロック」することができます。

▶ トラックをロックする

クリップを間違えて編集しないようにしたい、クリップがほかのトラックを編集した影響を受けないようにしたいといった場合は、トラックをロックして編集できないようにしましょう。トラックをロックするには、ロックパネルを右クリックして、コンテクストメニューの「トラックのロック」を選択します。

▲トラックのロックパネルを右クリックして、「トラックのロック」を選択する。

▲トラックがロックされると鍵マークが表示されて、クリップに斜線が表示される。

▶ トラックのロックを解除する

トラックのロックを解除する場合は、ロックされているトラックのロックパネルを右クリックして 1 、コンテクストメニューの「トラックのアンロック」を選択します 2 。

▲ロックパネルを右クリックして、「トラックのアンロック」を選択する。

CHECK!

複数のトラックをロックする
複数のトラックを選択して「一括ロックパネル」を右クリックし 1 、コンテクストメニューの「トラックのロック（選択トラック）」をクリックすると 2 、複数のトラックを一度にロックできます。

SECTION CHAPTER 03 ▶ クリップ編集

トラックを追加する

デフォルトで設定されているトラックだけではトラックが足りない場合、必要に応じてトラックを追加できます。このとき、トラックの種類を選択して追加します。

▶ VA トラックを追加する

トラックは必要に応じて追加できます。ここでは、「3V」トラックの上に「VA」トラックを追加します。

1 「VAトラックを上へ追加」を選択する

「1 ビデオ」トラック上で右クリックし**1**、コンテキストメニューの「トラックの追加」→「VAトラックを上へ追加」を選択します**2**。

2 追加するトラック数を入力する

「トラックの追加」ダイアログで追加するトラック数を入力し**1**、「OK」ボタンをクリックします**2**。

3 トラックが追加される

右クリックしたトラックの上に、VAトラックが追加されます。

CHECK!

トラックヘッダーで追加する

トラックヘッダーのトラックパネルのない場所で右クリックすると、トラックを指定して追加するメニューが表示されます。

SECTION 12 トラックを移動する

CHAPTER 03 ▶ クリップ編集

トラックヘッダーに配置されているトラックの順番は変更することができます。トラックの順番によって、プレビューウィンドウでの表示順番も変わります。

▶ トラックを移動する

トラックの表示順を変更することを「トラックの移動」といいます。トラックを移動すると、プレビューウィンドウでの表示順も変わります。

1 ビデオの映像
2 スチール写真の映像
3 ビデオのトラック
4 スチールのトラック

1 トラックパネルをドラッグ&ドロップする

トラックパネルをドラッグし1、移動先の位置に青いラインが表示されたらドロップします2。

2 トラックが移動する

トラックが移動し1、ビデオ映像が上に表示されます2。

CHECK!

メニューでトラックを移動する

移動させたいトラックのトラックパネルを右クリックし、コンテキストメニューから移動方向を選択して移動させることもできます。

▲トラックパネルを右クリックして移動する方向を選択する。

SECTION

CHAPTER 03 ▶ クリップ編集

13 トラックを削除する

編集作業の結果、不用になったトラックは削除しましょう。ここではトラックを削除する方法について解説します。

▶ トラックを削除する

不用になったトラックは削除できます。ここでは「2VA」というトラックを削除します。

1　「トラックの削除（現在のトラック）」を選択する

トラックパネルを右クリックし**1**、コンテクストメニューの「トラックの削除（現在のトラック）」を選択します**2**。

2　トラックが削除される

トラックが削除されて、タイムラインウィンドウから消えます。

CHECK!

複数のトラックを削除する
複数のトラックを選択し、右クリックしてコンテクストメニューから「トラックの削除（選択トラック）」を選択すると、トラックをまとめて削除できます。

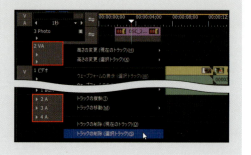

SECTION 14 タイムスケールの表示単位を変更する

CHAPTER 03 ▶ クリップ編集

編集作業によっては、タイムラインのタイムスケールの表示単位を変更することで、効率的に編集できるようになります。

▶ タイムスケールの表示単位を変更する

EDIUS Pro のタイムスケールの表示単位は、1 フレーム単位から 60 分単位まで 18 段階で設定できます。

1 ▽ボタンをクリックする

タイムスケール設定の▽ボタンをクリックします。

2 表示単位を選択する

表示されたスケールリストから表示単位を選択します。

10フレーム単位

▲10フレーム単位で表示したタイムライン。

「2秒」単位

▲2秒単位で表示したタイムライン。

CHECK!

効率的なスケールの切り替え

タイムスケール設定の左右にあるリストボタンや **1**、その上にある「タイムスケールスライダー」**2** でもタイムスケールの切り替えができます。タイムスケールを「フィット」に設定すると、編集中のプロジェクトの先頭から終端までがタイムラインウィンドウいっぱいにフィット表示できます。

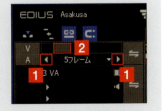

SECTION 15 タイムラインの表示範囲を変更する

CHAPTER 03 ▶ クリップ編集

タイムスケールの表示単位によっては、タイムラインにクリップが表示されません。このような場合は、タイムラインウィンドウに表示できる範囲を移動することでクリップを表示できます。

▶ スライダーで表示範囲を変更する

表示するタイムスケールの単位によっては、タイムラインウィンドウにプロジェクト全体が表示されなくなります。このような場合は、タイムラインウィンドウの下部にあるスライダーを左右にドラッグすることで、タイムラインウィンドウに表示されていないクリップを表示させることができます。

◀プロジェクトの後半が表示されていない。

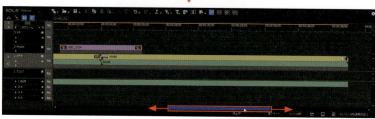

◀スライダーを左右にドラッグすると、隠れている部分が表示される。

▶ 任意の範囲をフィットさせて表示させる

編集範囲を特定し、その範囲をタイムラインウィンドウいっぱいにフィットさせて表示できます。

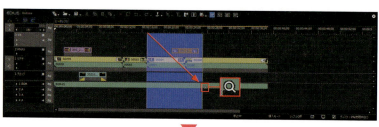

◀ [Shift] キーを押しながら、囲むように周囲を右ドラッグ（マウスの右ボタンを押しながらドラッグ）する。

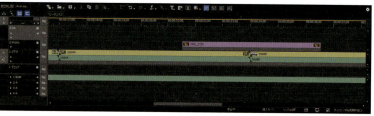

◀指定した範囲がフィット状態で表示される。

SECTION 16 タイムラインにクリップを配置する

CHAPTER 03 ▶ クリップ編集

ビデオクリップなどの編集は、タイムラインに素材クリップを配置して作業します。ここでは、Myncで取り込んだ素材クリップを、タイムラインの該当するトラックに配置する方法を解説します。

▶ 振り分けチャンネルを設定する

素材クリップをタイムラインに配置する場合、素材クリップを配置する前に、配置したいクリップのチャンネル（ソースチャンネル）を確認し、各チャンネルをどのトラックに配置するのかを設定できます。

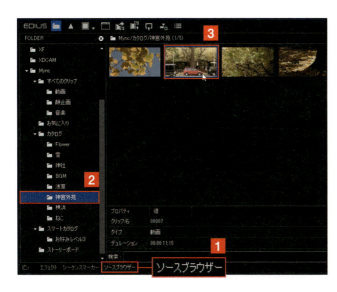

1 クリップを選択する

「ソースブラウザー」タブをクリックし**1**、Myncのカタログなどのフォルダーを開きます**2**。ここで、表示されたクリップから、利用していくクリップを選択します**3**。

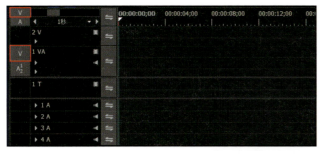

2 チャンネルを設定、接続／解除する

トラックヘッダーのトラックパッチに、クリップのソースチャンネルが表示されます。ここをクリックし、チャンネルの接続／解除を設定します。接続されると明るく表示され、解除すると暗くなります。解除したチャンネルはトラックに配置されません。

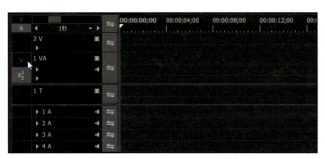

POINT

「ソースチャンネル」について

「ソースチャンネル」とは、素材クリップが保持しているデータの種類のことです。たとえば、映像データはビデオのチャンネルとオーディオのチャンネルで構成されています。

3 接続先を変更する

接続先を変更する場合は、トラックパッチをドラッグ&ドロップで変更します。この場合、ビデオクリップの映像は、通常であれば「1VA」トラックのVの部分に配置されますが、「2V」トラックを接続先に選択しています。

▶ クリップをタイムラインに配置する

「ビン」ウィンドウやソースブラウザーで選択したクリップをタイムラインに配置してみましょう。

1 タイムラインカーソルを移動する

クリップを配置したい位置にタイムラインカーソルを合わせます1。同時に、接続先のチャンネルを確認します2。

2 クリップを配置する

ビンやソースブラウザーでクリップを選択し1、「タイムラインへ配置」ボタンをクリックすると2、タイムラインにクリップが配置されます。画面の場合、先の接続先の選択で2Vのビデオトラックを選択しているので、映像と音声が別々のトラックに配置されています。なお、通常は「VA」トラックに配置します。

> **CHECK!**
>
> **ドラッグ&ドロップで配置する**
> ビンやソースブラウザーから、クリップをタイムラインにドラッグ&ドロップすることでも配置できます。

SECTION CHAPTER 03 ▶ クリップ編集

17 クリップの範囲を指定して配置する

「ビン」ウィンドウやソースブラウザーからクリップを配置する際、必要な範囲を指定して配置することができます。いわゆる「トリミング」を行いながら配置することになります。

▶ トリミングしながらクリップを配置する

ビデオ編集では、クリップから必要な範囲を指定することを「トリミング」といいます（P.130参照）。トリミングはクリップの必要な範囲を「In 点」と「Out 点」で指定します。ここでは、クリップの必要範囲をトラックへの配置前に設定し、タイムラインに配置する方法を解説します。

1 クリップを選択する

「ビン」ウィンドウやソースブラウザーで、トラックに配置するクリップを選択します❶。クリップをダブルクリックするか、あるいは「プレイヤーで表示」ボタンをクリックします❷。

2 内容を確認する

プレイヤーで再生して、クリップの必要な範囲を確認します。

3 必要な範囲の先頭を設定する

タイムラインカーソルをドラッグし、必要な範囲の先頭に合わせて❶、「In 点の設定」ボタンをクリックします❷。これで In 点が設定されます。

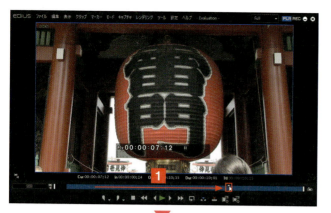

4 必要な範囲の終端を設定する

タイムラインカーソルをドラッグして、必要な範囲の終端に合わせて1、「Out 点の設定」ボタンをクリックします2。これで Out 点が設定されます3。

5 タイムラインに配置する

In 点と Out 点で必要な範囲を設定したら、プレビューウィンドウのコントロールパネルにある「タイムラインへ挿入で配置」ボタンをクリックし1、タイムラインへクリップを配置します2。なお、ここでは P.89 で解説した手順でトラックの高さを調整し、クリップのサムネイルを表示しています。

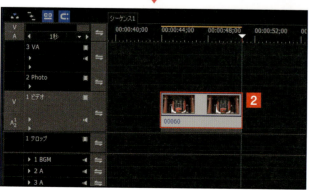

SECTION 18 トラック間でクリップを移動する

CHAPTER 03 ▶ クリップ編集

あるトラックに配置したクリップを別のトラックへ移動するには、トラック間でクリップをドラッグ＆ドロップします。その際はトラックの種類に注意が必要です。

▶ VAトラックのクリップをVトラックへ移動する

VAトラックからVトラックへクリップを移動する際は、オーディオデータの処理に注意が必要です。VAトラックではビデオ部とオーディオ部のデータがリンクされていますが、Vトラックに移動させるとオーディオ部が無効になります。

1 クリップを選択する

タイムラインウィンドウでVAトラック上のクリップを選択します。

2 Vトラックにドラッグ＆ドロップする

選択したクリップをVトラック上にドラッグ＆ドロップします。

3 クリップが移動する

VAトラックのクリップがVトラックへ移動しました。なお、VトラックにはAトラックが付随していないため、クリップのオーディオ部分が消えてしまいます。

CHECK!

オーディオ部を活かして移動させるには？

オーディオ部も含めて一緒に移動させるには、2つの方法があります。1つはVAトラックを追加して、そのトラックに移動する方法です。もう1つはビデオ部とオーディオ部のリンクを解除して、個別に移動させる方法です。リンクを解除するには、クリップを右クリックし、コンテキストメニューから「リンク／グループ」→「リンクの解除」を選択します。

▶ VトラックのクリップをVAトラックへ移動する

最初にビンからVトラックにクリップを配置すると、オーディオ部は1Aトラックに配置されます。この場合、ビデオ部をVトラックからVAトラックへクリップへ移動させると、ビデオ部はVAトラックへ移動しますが、オーディオ部は移動しません。

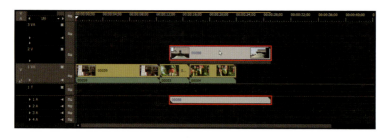

1 クリップを選択する

タイムラインウィンドウでVトラック上のクリップを選択します。このとき、リンクしているオーディオ部も選択状態になります。

2 VAトラックにドラッグ&ドロップする

選択したクリップをVAトラック上にドラッグ&ドロップします。

3 クリップが移動する

VトラックのクリップがVAトラックへ移動しましたが1、オーディオ部が残ります2。

CHECK!

複数クリップの移動
Shift キーや Ctrl キーを押しながら複数のクリップを選択すると、まとめて移動させることができます。

SECTION

CHAPTER 03 ▶ クリップ編集

19 クリップをまとめて移動する

1つのトラックに配置したすべてのクリップを移動させる場合、クリップを全選択できると便利です。ここでは1つのトラックのすべてのクリップを選択し、まとめて移動する方法を解説します。

▶「選択」コマンドを利用して選択する

特定のトラックに配置したクリップをすべて選択し、まとめて移動します。

1 クリップを選択する

トラックパネルでトラックを選択します**1**。トラックのクリップがない場所で右クリックし**2**、コンテキストメニューから「選択」→「選択トラック」を選択します**3**。

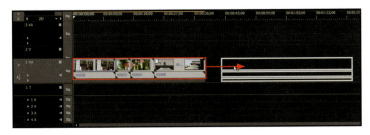

2 クリップを移動する

トラックに配置したクリップがすべて選択されるので、ドラッグして移動します。

3 クリップが移動する

トラック上のすべてのクリップが移動します。

SECTION CHAPTER 03 ▶ クリップ編集

20 クリップを削除する

トラックに配置したクリップが不用になったら、トラックから削除します。ここでは「削除」と「リップル削除」という2つの削除方法について解説します。

▶「削除」と「リップル削除」2つの削除方法

不用になったクリップは削除します。削除の方法によって結果が異なるので、それぞれの特徴を理解して実行しましょう。

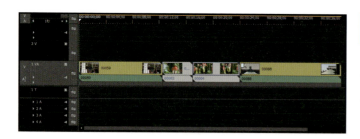

1 クリップを選択する

トラックに配置したクリップのうち、不用なものを選択します。複数のクリップを選択することもできます。

2 削除を実行する

タイムラインの操作ボタンにある、削除用のボタンをクリックします。「削除」ボタンをクリックするか、キーボードの Delete キーを押すと **1**、削除したクリップのあとに「ギャップ」という空白が残されます。「リップル削除」ボタンをクリックすると **2**、削除後に詰められて空白は残りません。なお、「リップルモード」（P.109参照）の場合はギャップは発生しません。

「削除」ボタンをクリックする

ギャップ（空白）が残る

▲「削除」ボタンをクリックするとギャップが残る。

「リップル削除」ボタンをクリックする

ギャップは残らない

▲「リップル削除」ボタンをクリックするとギャップは残らない。

CHECK!

Delete キーで削除する
クリップを選択して Delete キーを押すことでも削除できます。

SECTION 21 ギャップを削除する

CHAPTER 03 ▶ クリップ編集

クリップの移動や削除をすると、トラックに「ギャップ」という空白が残ります。ここでは、ギャップを削除する方法について解説します。

▶ トラックのギャップを削除する

「ギャップ」はトラックに配置したクリップとクリップの間にできた「空き」です。この空きは、再生すると「黒い画面」として表示されてしまいます。これを防ぐため、ギャップは必ず削除しましょう。

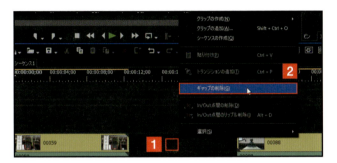

1 「ギャップの削除」を選択する

該当のトラックを選択し、削除したいギャップ上で右クリックします**1**。表示されたコンテキストメニューから「ギャップの削除」を選択します**2**。

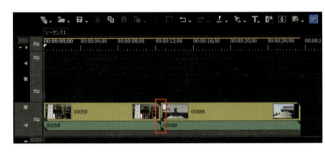

2 ギャップが削除される

トラックからギャップが削除されます。ギャップより右にあるクリップは、ほかのトラックのクリップも含めて詰められます。

CHECK!

このほかの削除方法
ギャップは以下の方法でも削除できます。
- 削除したいギャップの後ろのクリップを選択し、Shift + Alt + S キーまたは、Backspace キーを押す。
- 削除したいギャップの後ろのクリップを選択し、メニューバーから「編集」→「ギャップの削除」→「選択クリップ」を選択する。
- 削除したいギャップにタイムラインカーソルを合わせ、トラックエリアでトラックを選択して、メニューバーの「編集」→「ギャップの削除」→「現在位置」を選択する。

CHECK!

複数のギャップをまとめて削除する
あるギャップの後ろにあるクリップを複数選択して、上記の「このほかの削除方法」で解説した操作を実行すると、複数のギャップをまとめて削除できます。

SECTION CHAPTER 03 ▶ クリップ編集

22 シンクロック(同期)の モードを切り替える

トラックのシンクロックをオンにしておくと、クリップの移動や挿入などを行った結果がほかのトラックにも影響します。

▶ シンクロックのオン／オフを切り替える

「シンクロック」(同期)とは、あるトラックを編集した結果がほかのトラックにも影響する機能のことです。この機能はロックパネルのクリックでオン／オフできます。一括ロックパネルをクリックすると、すべてのトラックのシンクロックをオン／オフできます。

1 一括ロックパネル
2 シンクロックがオン
3 シンクロックがオフ

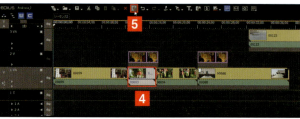

▲このクリップを削除する。

以下の例では、VAトラックにある1つのクリップ 4 を「リップル削除」 5 で削除します。

すべてのトラックのシンクロックがオンの場合

◀削除したクリップ以降のクリップが詰められて、ほかのトラックのクリップもすべて移動する。

一部のトラックのシンクロックがオフの場合

◀シンクロックをオフにしたトラックのクリップは移動しない。

SECTION 23 リップルモードを切り替える

CHAPTER 03 ▶ クリップ編集

クリップの削除やトリミングによってギャップが発生しないようにしたい場合は、「リップルモード」という機能を利用しましょう。

▶ リップルモードのオン／オフを切り替える

「リップルモード」をオンにすると、トラック上のクリップを削除してもギャップは発生しません。リップルモードのオン／オフは、モードバーの「リップルモードの切り替え」ボタンで切り替えます。

▲リップルモードがオンの状態。

▲リップルモードがオフの状態。

以下の例では、VAトラックにある1つのクリップ **1** を、「削除」ボタン **2** やキーボードの Delete キーなどで削除します。

▲このクリップを削除する。

リップルモードがオンの場合

◀ギャップが発生しないので、空きが詰められる。

リップルモードがオフの場合

◀ギャップが発生して空きができる。

POINT

「シンクロック」との併用

クリップの削除などによって、その結果がほかのトラックに影響を与えるかどうかは、シンクロックによって調整できます。

SECTION 24 クリップを入れ替える

CHAPTER 03 ▶ クリップ編集

トラックに配置したクリップの配置順を入れ替える際、リップルモードを利用すると、ギャップの生じない入れ替えが可能になります。

▶ クリップの順番を変更する

トラックに配置したクリップの順番を入れ替える際は注意が必要です。シンクロックやリップルモードをきちんと設定しないと、ギャップやほかのトラックのクリップ位置が変更されるなど、思わぬ影響が反映されてしまいます。以下の例では、1と2の2つのクリップを入れ替えます。

▲2つのクリップを入れ替える。

「リップルモード」がオン、「シンクロック」がオフの場合

◀ギャップやほかのトラックのクリップ位置は影響を受けない。

「リップルモード」がオフ、「シンクロック」がオンの場合

◀ギャップやほかのトラックのクリップ位置が移動する。

SECTION 25 クリップをコピーする

CHAPTER 03 ▶ クリップ編集

トラックにクリップをドラッグ＆ドロップして、同じトラック内や別のトラック内にコピーを配置することができます。ここでは、クリップのコピー方法について解説します。

▶ トラック内でクリップをコピーする

トラックに配置したクリップは、Ctrl キーを押しながらドラッグ＆ドロップすると、同じトラックや別のトラックにコピーできます。このとき、リップルモードの設定によって、コピー後の結果が異なります。

▲このクリップをコピーする。

リップルモードがオフの場合

◀ Ctrl キーを押しながらドラッグ＆ドロップしてコピーしても、ほかのトラックには影響がない。

リップルモードがオンの場合

◀ Ctrl キーを押しながらドラッグ＆ドロップしてコピーすると、ほかのトラックのクリップやギャップに影響がある。

POINT

「シンクロック」との併用はオフ

リップルモードがオンの状態でクリップをドラッグ＆ドロップする際、「シンクロック」をオフにしておくと、リップルモードがオフの場合と同じように、ほかのトラックに影響がありません。

SECTION 26 クリップを分割する

CHAPTER 03 ▶ クリップ編集

トラックに配置したクリップを分割する際は「カットポイントの追加」を利用します。この場合、カットポイント（P.131参照）の指定方法は2種類あります。

▶ タイムラインカーソルでカットポイントを指定して分割する

タイムラインに配置したクリップは、分割する位置を指定して、「カットポイントの追加」を利用して分割します。ここでは、タイムラインカーソルでカットポイントを指定してクリップを分割します。

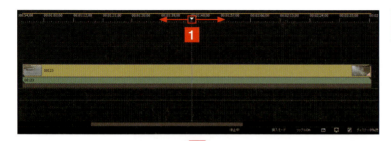

1 カットポイントを見つける

タイムラインでタイムラインカーソルをドラッグし1、プレビューウィンドウでフレーム映像を確認して2、分割するポイントを決めます。

2 分割する

タイムラインウィンドウの操作ボタンにある、「カットポイントの追加」ボタンをクリックすると1、クリップがタイムラインの位置で分割されます2。

▶ In 点、Out 点でカットポイントを指定して分割する

必要な箇所がクリップの中心付近にある場合は、In 点と Out 点でカットポイントを 2 点指定すると、かんたんに分割できます。

1 In 点を設定する

タイムラインカーソルをドラッグして**1**、必要な範囲の先頭をプレビューウィンドウで確認します**2**。In 点が確認できたら、「In 点を設定」をクリックして**3**、In 点を設定します**4**。

2 Out 点を設定する

In 点に続いて、必要な範囲の Out 点を設定します。

3 分割を実行する

In 点と Out 点の設定ができたら、タイムラインの「カットポイントの追加」のリストボタンをクリックし**1**、表示されたメニューから「In ／ Out 点へ追加（選択トラック）」を選択すると**2**、クリップが分割されます。

SECTION 27 CHAPTER 03 ▶ クリップ編集

挿入モード／上書きモードでクリップを配置する

タイムラインにクリップを配置する際、挿入モードか上書きモードかによって配置後の結果が異なります。ここでは、それぞれのモードの使い方を解説します。

▶「挿入モード」と「上書きモード」の違い

トラック上のクリップとクリップの間に別のクリップを配置する場合、「挿入モード」と「上書きモード」では結果が異なります。モードはモードバーのボタンで切り替えます。

▲挿入モードの状態。

▲上書きモードの状態。

挿入モードで配置する

◀後ろのクリップをずらして挿入するため、デュレーション（クリップの長さ）が変化する。

上書きモードで挿入

◀重複する部分に上書きして挿入するため、デュレーションは変化しない。

SECTION CHAPTER 03 ▶ クリップ編集

28 クリップの有効化/無効化を切り替える

EDIUS Proでクリップの「有効化」「無効化」を利用すると、クリップ単位でビデオやオーディオのミュートが可能になります。

● クリップの「有効化」と「無効化」を切り替える

トラックヘッダーの「ビデオのミュート」ボタンと「オーディオのミュート」ボタンは、トラック全体のミュートを設定します。「有効化」と「無効化」はクリップ単位でミュートを設定できます。

1 タイムラインスライダーをクリップに合わせる

タイムラインスライダーをクリップに合わせます**1**。画面では2VAトラックのクリップ映像が表示されています**2**。

2 「有効化/無効化」を選択する

2VAトラックのクリップを右クリックし**1**、「有効化/無効化」を選択します**2**。

3 クリップが無効化される

2VAトラックのクリップが無効化されてグレー表示になり**1**、画面には1VAトラックの映像が表示されます**2**。

115

SECTION

CHAPTER 03 ▶ クリップ編集

29 複数のクリップを グループ化する

複数のクリップをまとめて設定や移動をする場合、クリップをグループ化しておくとスムーズに作業ができるようになります。

▶ クリップをグループ化する

複数のクリップに同じ処理をする場合は、グループ化するとまとめて一度に操作できるので便利です。クリップをグループ化するには、複数のクリップを選択し 1、右クリックして 2、コンテキストメニューから「リンク／グループ」→「グループの設定」を選択します 3。

POINT

グループ化の解除
グループ化を解除する場合は、右クリックしてコンテキストメニューから「リンク／グループ」→「グループの解除」を選択します。

▶ 一時的にグループ化をオフにする

「モードバー」にある「グループ／リンクの切り替え」ボタンをクリックすると、クリップのグループ化を一時的にオン／オフできます。一時的にオフに切り替えると、グループ化したクリップを単独で操作できるようになります。このとき、ビデオ部とオーディオ部とのリンクも解除され、それぞれ個別に処理できるようになります。

▲「グループ／リンクの切り替え」がオンの状態。

▲「グループ／リンクの切り替え」がオフの状態。

SECTION CHAPTER 03 ▶ クリップ編集

30 プロキシモードに切り替える

4Kや8Kなどフレームサイズの大きなハイレゾデータを編集する場合は、素材データ自体ではなく「プロキシファイル」を利用すると、CPUの負荷を軽減して快適な編集が可能になります。

▶ プロキシモードに切り替える

4K、8Kといったハイレゾデータを素材として利用する場合、CPUへの負荷が大きくなり、スムーズな編集作業ができなくなる場合があります。このようなときは「プロキシモード」を利用すると、編集用に最適化された「プロキシファイル」を利用してスムーズな編集ができます。
プロキシモードで編集してファイル出力する際は、オリジナルのハイレゾデータを利用します。このため、画質はオリジナルデータで編集した場合とまったく同じです。

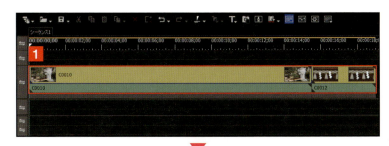

1 プロキシモードをオンにする

タイムラインに4Kや8Kのデータを配置し①、メニューバーから「モード」→「プロキシモード」を選択します②。

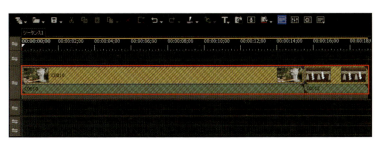

2 プロキシモードになる

タイムラインに配置したクリップに市松模様のアミが設定されて、プロキシモードであることが確認できます。

▶ プロキシファイルを作成する

「プロキシファイル」は 4K や 8K などのハイレゾデータから、編集に適したフレームサイズに変換して生成したデータです。ここでは、プロキシモードに切り替えたタイムラインに配置した 4K データのプロキシファイルを作成します。

1 「プロキシの作成」を選択する

メニューバーから「ファイル」→「プロキシの作成」を選択し①、サブメニューから作成する対象（ここでは「タイムライン」）を選択します②。

2 「はい」ボタンをクリックする

確認ダイアログが表示されるので、「はい」ボタンをクリックします。バックグラウンドでプロキシファイルが作成されます。

POINT

プロキシファイルの自動生成

プロキシモードに設定すると自動的にプロキシファイルが作成されるように、デフォルトでユーザー設定されています。メニューバーから「設定」→「アプリケーション」→「プロキシモード」を選択すると、「ユーザー設定」ダイアログが表示されます。ここで「プロキシを自動的に生成する」のチェックボックスがオンになっていることが確認できます。

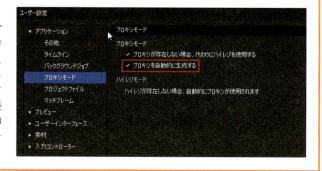

POINT

プロキシファイルを作成できないデータ

以下のクリップはプロキシファイルを作成できません。
- ビデオクリップ以外のクリップ
- 静止画クリップ
- タイトルクリップ
- すでにプロキシが存在するクリップ
- ビットレートがプロキシよりも小さいクリップ
- アルファチャンネル付きのクリップ
- フレームレートが 23.98fps、24fps、25fps、29.97fps、30fps、50fps、59.94fps、60fps 以外のクリップ
- オーディオサンプリングレートが 48000Hz、44100Hz、32000Hz 以外のクリップ
- 部分転送されたクリップ

SECTION 31 クリップの色分けを変更する

CHAPTER 03 ▶ クリップ編集

トラックに配置したクリップはデフォルトで色が設定されていますが、この色は自由に変更できます。ここでは、クリップの表示色を変更する方法を解説します。

▶ クリップの色を好みの色に変える

タイムラインに配置したクリップは好みの色に変更できます。ここでは、タイムライン上のクリップの色を変更します。

1 「プロパティ」パネルを表示する

タイムラインに配置したクリップを右クリックし1、コンテクストメニューから「プロパティ」を選択します2。

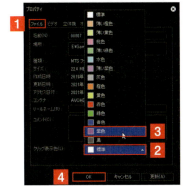

2 色を選択する

表示された「プロパティ」パネルの「ファイル」タブをクリックします1。「クリップ表示色」2から好みの色を選択して3、「プロパティ」パネルの「OK」ボタンをクリックします4。

POINT

「ビン」ウィンドウでクリップの色を変更する

「ビン」ウィンドウに素材クリップを取り込んである場合、「ビン」ウィンドウでもクリップやシーケンスの色を変更できます。サムネイルを右クリックし、コンテクストメニューから「クリップ表示色」を選択します。変更した色は、そのままタイムラインでも反映されます。

SECTION 32 リンク切れを解消する

CHAPTER 03 ▶ クリップ編集

素材クリップとして利用しているファイルのファイル名を変更したり、移動したりすると「リンク切れ」になり、編集ができなくなります。ここではファイルの再リンクの方法を解説します。

▶ ファイルのリンク切れを解消する

素材として利用している映像データのファイル名を変更したり、保存している場所を移動したりすると、「リンク切れ」状態になります。この場合は「クリップの復元と転送」を利用して再リンクします。

1 復元方法を選択する

「ビン」ウィンドウやタイムラインでリンク切れしたサムネイルをダブルクリックし①、「クリップの復元と転送」を表示します。再リンクしたいファイルを選択し②、「復元方法」の▽をクリックして、復元方法を選択します③。

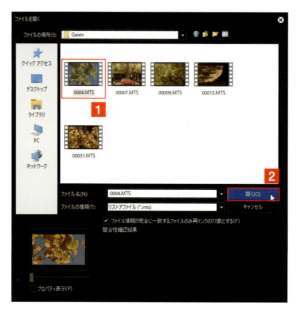

2 ファイルを選択する

「ファイルの場所」ダイアログが表示されるので、再リンクしたいファイルを選択して①、「開く」ボタンをクリックします②。手順①の画面に戻るので、「OK」ボタンをクリックします。

SECTION

33 ショートカットキーで映像を再生する

CHAPTER 03 ▶ クリップ編集

タイムラインで編集中のプロジェクトをプレビューする際、プレビューウィンドウのコントロールボタンを利用します。ショートカットキーを利用すると、さらにスムーズに再生できます。

▶ プレビューウィンドウで再生する

タイムラインで編集中のプロジェクトは、プレビューウィンドウのコントロールボタンで映像を再生します。

1 停止 再生を停止します。
2 巻き戻し 映像を巻き戻します。クリックすると速度が変化します(−×4倍速、−×12倍速)。
3 前のフレーム 1フレーム前に戻ります。
4 再生／一時停止 再生を開始します。再生中にクリックすると一時停止し、再度クリックすると再生を再開します。
5 次のフレーム 1つ次のフレームを表示します。
6 早送り 映像を早送りします。クリックすると速度が変化します(×4倍速、×12倍速)。
7 ループ再生 In点とOut点の間を繰り返し再生します。

CHECK!

ショートカットキーで再生
ショートカットキーを利用すると、スピーディなプレビューができます。Jキーと Lキーは押すごとに速度が変わります。
- スペースキー：再生／停止
- Jキー：巻き戻し (−×1、−×2、−×3、−×4、−×8、−×16、−×32)
- Kキー：停止
- Lキー：早送り (×1、×2、×3、×4、×8、×16、×32)

SECTION

CHAPTER 03 ▶ クリップ編集

34 シーケンスを新規作成する

プロジェクトは必ず1つのシーケンスを持っていますが、複数のシーケンスで構成することもできます。ここでは、プロジェクトに新規のシーケンスを作成する方法について解説します。

▶ シーケンスを新規作成する

現在編集中のプロジェクトに、新規にシーケンスを追加してみましょう。

1 「シーケンスの新規作成」ボタンをクリックする

タイムラインにある「シーケンスの新規作成」ボタンをクリックします。

2 シーケンスタブが表示される

新規作成されたシーケンスがタイムラインに表示されて**1**、同時に「ビン」ウィンドウに登録されます**2**。シーケンス名はタブで表示され、クリックでシーケンスを切り替えることができます。なお、シーケンスは画面では「Gaien」ビンに追加されていますが、これを「root」にドラッグ&ドロップして移動させることもできます。

CHECK!

その他のシーケンス作成方法

シーケンスは以下の方法でも新規作成できます。
- メニューバーから、「ファイル」→「新規作成」→「シーケンス」を選択する。
- Shift キー、Ctrl キー、N キーを同時に押す（ショートカットキー）。
- ビンのクリップビューの空白部を右クリックし、コンテキストメニューの「新規シーケンス」を選択する。

SECTION 35 シーケンスを閉じる／開く

CHAPTER 03 ▶ クリップ編集

シーケンスは閉じたり開いたりできます。編集をする場合はシーケンスを開き、編集をしない場合はシーケンスを閉じておきます。

▶ シーケンスを閉じる

タイムラインウィンドウに表示されているシーケンスを閉じるには、タブを右クリックして **1**、コンテクストメニューの「このシーケンスを閉じる」を選択します **2**。

▲シーケンスのタブを右クリックし **1**、「このシーケンスを閉じる」を選択する **2**。

▲シーケンスが閉じる。

▶ シーケンスを開く

「ビン」ウィンドウにあるシーケンスのサムネイルをダブルクリックすると **1**、シーケンスが開いてタイムラインウィンドウに表示されます **2**。

▲シーケンスのサムネイルをダブルクリックする。

▲シーケンスがタイムラインウィンドウに表示される。

| SECTION | CHAPTER 03 ▶ クリップ編集 |

36 シーケンスをネストする

シーケンスは別のシーケンスにクリップとして配置できます。配置したシーケンスはビデオクリップなどと同様に、通常の素材クリップとして編集できます。

▶ シーケンスをクリップとして配置する

シーケンスは、別のシーケンスに素材クリップとして配置することができます。このようにして、シーケンスを入れ子のような状態にすることを「ネスト」といいます。配置の方法は、通常のクリップと同じです。配置されたシーケンスは、通常のクリップと同様にトリミングなどの編集ができます。なお、別のシーケンスに配置したシーケンスは灰色で表示されます。

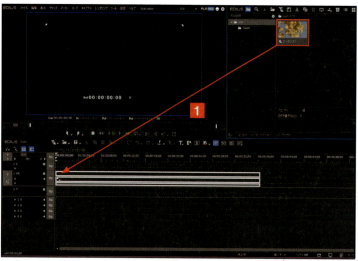

◀「root」というビンウィンドウにあるシーケンスを別のシーケンスにドラッグ＆ドロップする❶。

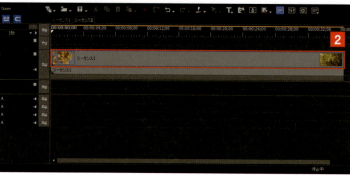

◀シーケンスがクリップとして配置される❷。

CHAPTER

04

THE PERFECT GUIDE FOR EDIUS Pro

[トリミング]

SECTION 01 ドラッグでトリミングする

CHAPTER 04 ▶ トリミング

映像の必要な部分だけを残す作業を「トリミング」といいます。EDIUS Proではさまざまなトリミング方法が利用できますが、もっとも一般的なのはドラッグによるトリミングです。

▶ トリミングの方法

タイムラインに配置したクリップから不要な映像部分をカットし、必要な部分だけを残す作業を「トリミング」、または単に「トリム」といいます。トリミングの基本は、タイムラインに配置したクリップのIn点（開始位置）とOut点（終了位置）を変更することです。その変更方法は以下の3種類があります。

1. 標準モードでカットポイントをドラッグしてトリミングする。
2. トリムモードに切り替えてトリミングする。
3. ショートカットキーでトリミングする。

このうち、もっとも一般的なのは標準モードでの「カットポイント」接合点のドラッグによるトリミングです。カットポイントはクリップの先端、終端のことです。クリップの先端が「In点」**1**、終端が「Out点」**2**です。

▶ In点トリム／Out点トリムを行う（リップルモードがオフの場合）

リップルモード（P.109参照）がオンの場合とオフの場合とでは、トリミング後の結果が異なります。ここでは、リップルモードをオフにしたトリミングの操作を解説します。

1 リップルモードをオフにする

「リップルモードの切り替え」をクリックし、リップルモードをオフにします。

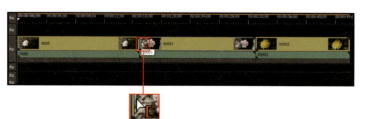

2 In点にマウスポインターを合わせる

タイムラインに配置したクリップの始点（In点）にマウスポインターを合わせます。マウスポインターの形が変化します。

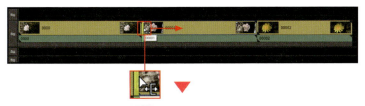

3 In点をドラッグする

In点をクリックすると、さらにマウスポインターの形が変化するので、そのまま右方向にドラッグします。このとき、ビデオには黄色いライン、オーディオには緑のラインが表示されます。これでクリップのIn点がトリミングされます。

4 Out点をドラッグする

同じように、Out点もドラッグしてトリミングします。

5 ギャップを削除する

リップルモードがオフの場合、トリミングによってギャップが発生します。P.107の解説を参考にギャップを削除します。

POINT

黄色いラインと緑色のライン

手順 3 でIn点をクリックすると、現在選ばれているポイントを示す黄色いラインが表示されます。同じく、オーディオ部にはトリミングで変更されるポイントを表す緑色のラインが表示されます。

POINT

トリミング前と後のクリップの違い

トリミング前のクリップはIn点の左下とOut点の右上に黒い三角マークがありますが、トリミング後はこのマークが消えます。この違いで、クリップがトリミングされている/いないを確認できます。

▲トリミング前は三角マークがある。

▲トリミング後は三角マークが消える。

▶ In点トリム／Out点トリムを行う（リップルモードがオンの場合）

リップルモードがオンの状態で同じようにIn点トリムとOut点トリムを行うと、ギャップを発生させずにトリミングができます。

1 リップルモードをオンにする

「リップルモードの切り替え」ボタンをクリックして、リップルモードをオンにします。

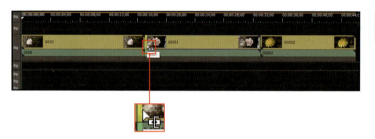

2 In点にマウスポインターを合わせる

タイムラインに配置したクリップの始点（In点）にマウスポインターを合わせると、マウスポインターの形が変化します。この形はリップルモードがオフのときとは異なります。

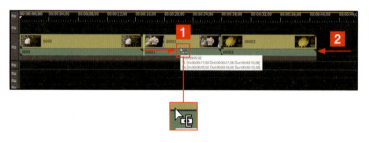

3 In点をドラッグする

In点を右にドラッグすると①、マウスの移動に合わせて全体のデュレーションが短くなります②。In点をクリックしたときのマウスポインターの形は、リップルモードがオフのときとは異なります。

4 Out点をトリミングする

同じようにOut点をトリミングします。やはりギャップは発生せず、全体のデュレーションが短くなります。

SECTION 02 上書きモードと挿入モードでのトリミング

CHAPTER 04 ▶ トリミング

リップルモードがオフの状態で、すでにトリミングしたクリップのOut点を伸ばしたときの結果は、上書きモードと挿入モードでは異なります。

▶ トリミングしたOut点を伸ばしたときの違い

すでにトリミングしたクリップのOut点を伸ばすと、モードが上書きモードなのか挿入モードなのかによって、後ろに続くクリップの状態が変わります。この状態は、リップルモードのオン／オフに関係なく、同じ状態になります。

上書きモードでOut点を伸ばす

▲上書きモードがオン。

▲後ろに続くクリップが短くなるため、全体のデュレーションは変わらない。

挿入モードでOut点を伸ばす

▲挿入モードがオン。

▲後ろに続くクリップも一緒に移動するため、全体のデュレーションが変化する。

SECTION 03 トリミングの種類

CHAPTER 04 ▶ トリミング

EDIUS Proではさまざまな種類のトリミングを利用できます。それぞれのトリミングを利用する方法とそのときのカーソルの形を覚えてくと、効率よく作業できます。

▶ トリミングの種類

トリミングはIn点とOut点のドラッグによって行う操作です。その際、操作対象のIn点とOut点を選択する方法はさまざまであり、その選択方法によっては利用できるトリミングの種類が異なります。ここでは、EDIUS Proで利用できるトリミングの種類についてまとめます。

トリミングの種類	概要	カットポイントの選択方法	マウスカーソル
In点トリム Out点トリム	タイムラインに配置したクリップのIn点、Out点の位置を変更するための操作。上書きモードか挿入モードかによって、トリミングの結果は異なる。	In点／Out点をクリック	
リップルトリム	ほかのクリップとの位置関係を保ったままIn点、Out点を変更する。リップルモードがオンの状態で実行する。	[Shift]＋In点／Out点をクリック	
リップルトリム（スプリット）	「スプリット」では、オーディオ付きビデオクリップのビデオ部分、またはオーディオ部分のみをトリミングする。	[Alt]＋[Shift]＋In点／Out点をクリック	
スライドトリム	となり合うクリップの開始位置と終了位置を前後にシフトする。前後のクリップの合計時間は変わらない。	[Ctrl]＋[Shift]＋In点／Out点をクリック	
スライドトリム（スプリット）	「スプリット」では、オーディオ付きビデオクリップのビデオ部分、またはオーディオ部分のみをトリミングする。	[Ctrl]＋[Alt]＋[Shift]＋In点／Out点をクリック	
スプリットトリム	オーディオ付きビデオクリップのビデオ部分、またはオーディオ部分のみをトリミングする。	[Alt]＋In点／Out点をクリック	
スリップトリム	クリップの長さや位置を変えず、そのクリップで使用するIn点、Out点を変更する。となり合うクリップの長さや位置は変わらない。	[Ctrl]＋[Alt]＋クリップの中央をクリック	
ローリングトリム	特定のクリップの長さを変えず、前後にあるクリップの開始位置と終了位置をシフトする。	[Ctrl]＋[Shift]＋クリップの中央をポイント	

04 スライドトリムでトリミングする

SECTION　CHAPTER 04 ▶ トリミング

トリミング済みのクリップのカットポイントをドラッグして、となり合うクリップのOut点とIn点を変更できます。これを「スライドトリム」といいます。

▶ スライドトリムでカットポイントを変更する

2つのクリップとクリップが接合している点を「カットポイント」または「接合点」といいます。双方のクリップがトリミングされて、それぞれマージンを持っている場合、カットポイントを前後に移動してトリミングできます。このトリミング方法を「スライドトリム」といいます。

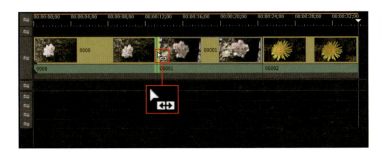

1 スライドトリムモードに切り替える

[Shift] + [Ctrl] キーを押しながら、位置を変更したいカットポイントをクリックします。

2 カットポイントをドラッグする

カットポイントを左右にドラッグすると❶、カットポイントの位置を変更できます❷。このとき、全体のデュレーションは変化しません。

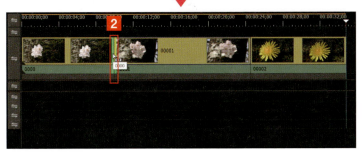

POINT

スライドトリムが使える条件

隣り合うクリップがどちらもトリミング済みで、かつマージンを保持している場合でないと、スライドトリムによるトリミングはできません。

SECTION 05　スリップトリムでトリミングする

CHAPTER 04 ▶ トリミング

ここでは、タイムラインに配置したクリップの長さや位置を変えず、使用する部分を変更する「スリップトリム」の方法を解説します。

▶ デュレーションを変えずにカットポイントを変更する

「スリップトリム」は、タイムラインに配置したクリップの長さ（デュレーション）を変更せずに、そのクリップのIn点とOut点を変更できます。このとき、となり合うクリップの長さや位置は変わりません。

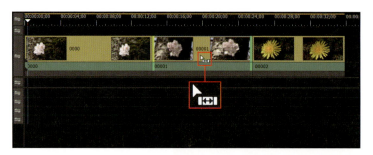

1 スリップトリムモードに切り替える

両サイドがクリップに挟まれたクリップを選択し、[Ctrl]+[Alt]キーを押しながらクリップの中央をクリックして、スリップトリムのモードに切り替えます。

2 選択したクリップをドラッグする

選択したクリップを左右にドラッグすると、クリップの配置位置を変更することなくクリップのIn点とOut点が変更されたことが、プレビューウィンドウで確認できます。

▲ドラッグしても位置は変わらない。

▲In点（左側）とOut点（右側）のフレーム映像が変わる。

POINT

事前にトリミングが必要

スリップトリムによるトリミングを実行するには、事前にクリップをトリミングしておく必要があります。

SECTION 06 ローリングトリムでトリミングする

CHAPTER 04 ▶ トリミング

ここでは、タイムラインに複数のクリップを配置した場合、特定のクリップの長さを変えず、前後にあるクリップのIn点とOut点をシフトする「ローリングトリム」の方法を解説します。

▶ デュレーションを変えずにクリップの位置を変更する

「ローリングトリム」では複数配置したクリップのうち、特定のクリップの位置を変更します。このとき、移動するクリップのIn点とOut点は変えずに、前後のクリップのIn点とOut点を変更します。また、全体のデュレーションは変更されません。

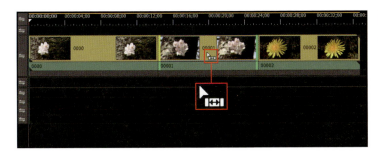

1 ローリングトリムモードに切り変える

複数のクリップを配置してトリミングを実行し、[Shift]+[Ctrl]キーを押しながら、位置を変更したいクリップの中央をクリックします。

2 選択したクリップをドラッグする

選択したクリップを左右にドラッグすると、クリップの位置が変更されて、カットポイントが変更されます。このとき、ドラッグするクリップのIn点とOut点は変わりませんが、前後のクリップのIn点とOut点が変わります。また、全体のデュレーションも変わりません。

前のクリップのOutポイントのフレーム映像が変わる　　後のクリップのOutポイントのフレーム映像が変わる

POINT

事前にトリミングが必要
ローリングトリムによるトリミングを実行するには、事前にクリップをトリミングしておく必要があります。

SECTION CHAPTER 04 ▶ トリミング

07 スプリットトリムで
トリミングする

ここでは、ビデオとオーディオがセットになったクリップの場合、ビデオ部、オーディオ部をそれぞれ個別にトリミングできる「スプリットトリム」について解説します。

● ビデオ部だけをトリミングする

EDIUS Pro に取り込んだ映像クリップは、通常はビデオ部とオーディオ部がリンクしており、トリミングも同時に行われます。「スプリットトリム」を利用すると、ビデオ部だけ、あるいはオーディオ部だけを個別にトリミングできます。

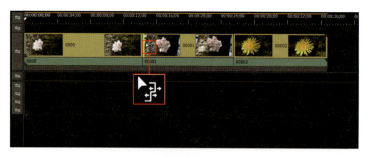

1 スプリットトリムモードに切り替える

トリミングしたいクリップを選択し、[Alt] キーを押しながら In 点または Out 点をクリックします。

2 選択したポイントをドラッグする

選択したポイントを左右にドラッグして、ビデオ部だけトリミングします。この場合、トリミングする方向によって、結果が異なります。

POINT

リップルモードをオフにする

スプリットトリムを利用するには、リップルモードをオフにする必要があります。リップルモードがオンの状態で利用する場合は、クリップとクリップの間にギャップが必要です。

SECTION 08　CHAPTER 04 ▶ トリミング

トリムモードと
トリムウィンドウ

EDIUS Proを「トリムモード」に切り替えると、クリップのトリミングをするため「トリムウィンドウ」という専用ウィンドウが表示されます。ここではトリムウィンドウの機能について解説します。

▶ トリムモードに切り替える

EDIUS Pro を編集モードからトリムモードに切り替えると「トリムウィンドウ」が表示されて、トリムウィンドウを使ったトリミング操作ができるようになります。EDIUS Pro を編集モードからトリムモードに切り替えてみましょう。

1　トリムモードを選択する

メニューバーから「モード」→「トリムモード」を選択します。

2　トリムウィンドウに切り替わる

プレビューウィンドウが、標準モードからトリムモードに切り替わります。

POINT

編集モードへは F6 キーで切り替える

ファンクションキーの F6 キーを押すことでも、編集モードとトリムモードを切り替えることができます。なお、編集モードへの切り替えは、トリムウィンドウの「通常モードへ切り替え」ボタンをクリックすることでも可能です。

▶ トリムウィンドウの名称と機能

トリムウィンドウには、再生コントロール用のボタンのほか、トリミング専用のボタンを備えています。これらを利用すると、トリムモードに応じたカットポイントが自動的に選択できるほか、タイムコードによるトリミングも可能になります。

1 プレビューウィンドウ 編集中のフレーム映像を表示します。

2 タイムコード 編集中のクリップのIn点とOut点のタイムコードを表示するほか、タイムコードを入力してトリミングできます。

3 前のフレーム 1フレーム前に移動します。

4 再生 タイムラインを再生します。

5 次のフレーム 1フレーム次に移動します。

6 前の編集点へ移動（トリム） 現在のカットポイントより左にあるカットポイントにタイムラインカーソルが移動します。

7 トリム（-10フレーム） トリミング位置を-10フレーム移動します。

8 トリム(-1フレーム) トリミング位置を-1フレーム移動します。

9 カットポイントの周辺の再生 フォーカスしているカットポイントの周辺を繰り返し再生します。

10 トリム（+1フレーム） トリミング位置を+1フレーム移動します。

11 トリム（+10フレーム） トリミング位置を+10フレーム移動します。

12 次の編集点へ移動（トリム） 現在のカットポイントより右にあるカットポイントにタイムラインカーソルが移動します。

13 トリムモード（In点） In点をトリミングするモードに切り替えます。In点の選択のみ可能です。

14 トリムモード（Out点） Out点をトリミングするモードに切り替えます。Out点の選択のみ可能です。

15 トリムモード（スライド） スライドトリムモードに切り替えます。スライドトリムのカットポイントの選択のみ可能です。

16 トリムモード（スリップ） スリップトリムモードに切り替えます。スリップトリムのカットポイントの選択のみ可能です。

17 トリムモード（ローリング） ローリングトリムモードに切り替えます。ローリングトリムのカットポイントの選択のみ可能です。

18 トリムモード（トランジション） トランジショントリムモードに切り替えます。トランジションの選択のみ可能です。

19 通常モードへ切り替え トリムモードから編集モードに切り替えます。

▶「-10フレーム」トリムを利用する

トリムウィンドウを利用して、トリミングポイントを変更してみましょう。なお、リップルモードがオンの状態とオフの状態とでは、結果が異なります。

1 トリムモードを選択する

トリムウィンドウでトリムモードを選択します。

2 トリムポイントを選択する

手順 1 で選択したトリムモードに応じて、トリミングポイントを選択します。

3 「トリム(-10フレーム)」ボタンをクリックする(リップルモード:オン)

リップルモードがオンの状態で「トリム(-10フレーム)」ボタンをクリックすると、カットポイントが10フレーム前に移動します。

4 「トリム(-10フレーム)」ボタンをクリックする(リップルモード：オフ)

リップルモードがオフの状態で「トリム(-10フレーム)」ボタンをクリックすると、カットポイントが10フレーム後に移動して、ギャップが発生します。

POINT

オンスクリーンディスプレイ表示をオフにする

プレビューウィンドウに表示されているシーケンスのタイムコードやレベルメーターの表示は、「設定」→「ユーザー設定」→「プレビュー」→「オンスクリーンディスプレイ」の順で選択すると表示されるパネルで調整できます。

タイムコードは「通常編集時の表示」の「シーケンスTC」のチェックボックスをオフに **1**、レベルメーターは「レベルメーターの表示」のチェックボックスをオフにします **2**。

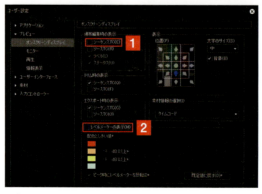

SECTION CHAPTER 04 ▶ トリミング

09 トリムウィンドウでトリミングする

トリムウィンドウでは、自身のプレビュー上でもトリミングが可能です。ここでは、トリムウィンドウ上でローリングトリムを実行する操作方法を解説します。

▶ トリムウィンドウのプレビューでトリミングする

トリムウィンドウのプレビューでは、トリミングボタンで選択したトリムモードでのトリミングが可能です。ここではローリングトリムを例に操作方法を解説します。

1 トリミング方法を選択する

トリミングモードに切り替えて、利用したいトリミングモードを選択します。

2 クリップを選択する

タイムラインでトリミングしたいクリップを選択します。

3 プレビュー上で操作する

プレビュー上にマウスポインターを合わせると、モードに対応した形にマウスポインターが変化するので、ドラッグしてトリミングを行います。

SECTION 10 トリムウィンドウのタイムコード

CHAPTER 04 ▶ トリミング

トリムウィンドウにはタイムコードの入力領域が設定されています。これを利用すると、タイムコードでのトリミングが可能です。ここでは、トリムウィンドウについて解説します。

▶ トリムウィンドウのタイムコード

トリムウィンドウのタイムコードには、次のようなタイムコードが表示されています。

1 上段：シーケンスのタイムコード
2 下段：クリップのタイムコード
3 タイムラインカーソルのタイムコード
4 トリミング対象のクリップの長さ（Out点側のクリップ）
5 フォーカスしたカットポイント（クリップのOut点）のタイムコード
6 フォーカスしたポイントから移動したフレーム数
7 フォーカスしたカットポイント（クリップのIn点）のタイムコード
8 トリミング対象のクリップの長さ（In点側のクリップ）
9 トリミング対象のトランジションの長さ

▶ タイムコードを入力する

トリミングしたいクリップをタイムラインで選択し、トリムウィンドウでトリムモードを選択します。タイムコードにマウスポインターを合わせると形が変わるので、その状態でクリックしてタイムコードを入力します。

◀ タイムコードを入力する。

CHECK!

タイムコードの入力方法
タイムコードは HHMMSSFF（H：時間、M：分、S：秒、F：フレーム数）の形式で入力します。

（例）
25秒16フレーム → 「25S16F」または「2516」と入力する。
10分 → 「10M」または「100000」と入力する。

SECTION 11 CHAPTER 04 ▶ トリミング

ショートカットキーでトリミングする

EDIUS Proはショートカットキーでのトリミングをサポートしています。各トリミングモードのIn点とOut点でのトリミングをショートカットキーで操作できます。

▶ In点、Out点をショートカットキーで操作する

ショートカットキーでのトリミングは、タイムラインカーソルのある位置を基準にして、In点またはOut点からトリミングします。Nキーを押すと、選択したクリップのIn点からタイムラインカーソルまでの位置をトリミングします。Mキーを押すと、Out点からタイムラインカーソルの位置までをトリミングします。

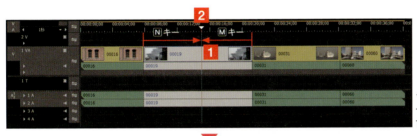

◀クリップを選択して1、タイムラインカーソルを配置する2。

◀Nキーを押してトリミング(リップルモードがオフ)。

◀Nキーを押してトリミング(リップルモードがオン)。

● 各モードとショートカットキー

モード	ショートカットキー
In点トリム	Nキー
Out点トリム	Mキー
リップルトリム(In点側)	Alt + Nキー
スライドトリム(Out点側)	Alt + Mキー

モード	ショートカットキー
スプリットトリム(In点側)	Ctrl + Nキー
スリップトリム(Out点側)	Ctrl + Mキー
ローリングトリム(In点側)	Shift + Nキー
ローリングトリム(Out点側)	Shift + Mキー

SECTION 12　マルチカムモードで トリミングする

CHAPTER 04 ▶ トリミング

「マルチカムモード」は複数のカメラで同時に撮影したクリップを編集する機能ですが、1台のカメラで撮影した複数のクリップを編集するときにも利用できます。ムービーのイントロ映像などの作成に利用できます。

▶ マルチカムモードで編集する準備をする

マルチカムモードでの編集は、1つの被写体を複数のカメラで同時に撮影したクリップを編集するための機能です。しかし、1台のカメラで撮影した複数のクリップの編集にも利用できます。最初にトラックを準備し、利用したいクリップを配置します。

1 トラックを配置する

画面では、クリップが利用しやすいようにVAトラックを3本準備しました。トラックは追加（P.94参照）、削除（P.96参照）によって揃えます。シーケンス名は「マルチカメラ」と変更しました。トラック数は、メニューバーから「モード」→「カメラの数」を選択すると表示されるカメラの数に応じて設定します。なお、カメラ数は後からでも変更可能です。

2 クリップを配置する

利用したいクリップを、準備したVAトラックに重なるように配置します。画面では、3個のクリップを配置しています。

▶ マルチカムモードで手動編集する

トラックの準備ができたら、マルチカムモードに切り替えて、手動で利用したいクリップを選択して編集してみましょう。

1 「マルチカムモード」を選択する

メニューバーから、「モード」→「マルチカムモード」を選択します。ショートカットキーはファンクションキーの F9 キーです。

2 タイムラインにカメラ番号が表示される

マルチカムモードに切り替えると、ビデオのトラックヘッダーにカメラ番号が「C1」「C2」「C3」と表示されます。

3 プレビューを確認する

プレビューウィンドウもマルチカムモードに切り替わります。プレビューウィンドウは、「マスター」1と呼ばれるウィンドウの下に、各トラックに応じたサムネイルが表示されます 2 3 4 。サムネイルの左上にはトラック番号が表示されます 5 。

4 マスターとなる音声データを配置する

BGMなどに利用したいデータがある場合はこれを取り込み、オーディオトラックに配置します。画面では「1A」に配置しました。

5 クリップを編集する

このモードでの編集では、プレビュー画面で利用したいカメラ映像（トラックに配置したクリップ）のサムネイルをクリックします **1**。このとき、タイムラインのクリップが選択状態になります **2**。

6 タイムラインカーソルを移動する

表示したいデュレーション（再生時間）だけ、タイムラインカーソルを右にドラッグします。画面では、一番左端（00;00;00;00）から「00;00;01;00」と1秒間移動させています。

7 別のサムネイルをダブルクリックする

切り替えて表示したい映像のサムネイルをダブルクリックします **1**。このとき、ライムラインカーソル位置でクリップが分割され **2**、選択したクリップ以降がアクティブになります **3**。

CHECK!

BGMとシンクロさせる

画面の切り替えのタイミングは、BGMのドラムなどによるテンポの変化に応じて設定すると、効果的な切り替えシーンを演出できます。このとき、オーディオトラックの「▼」をクリックしてトラックを展開すると、波形が表示されてタイミングを見つけやすくなります。

8 続いて、別のサムネイルをダブルクリックする

さらに6、7の操作を繰り返し、切り替えたいタイミングで表示させたい映像のサムネイルをダブルクリックします。

> **CHECK!**
>
> **再生しながらクリックする**
> 利用したいクリップは、再生中にサムネイルをクリックしても選択できます。この場合は、ダブルクリックではなくワンクリックすれば、クリップが選択されます。

▶ タイムラインを編集する

マルチカム編集後のタイムラインは、サムネイルをクリックしたポイントで分割されています。この分割の位置を変更したり、アクティブなクリップを変更したりなどの編集ができます。

1 分割ポイントを変更する

マルチカムでは、プレビューウィンドウのサムネイルをクリックしたポイントで分割が行われます。その位置には、水色の▼がタイムラインに表示されています。この▼をドラッグすると1、分割位置が変更されます2。同時に、クリップのデュレーションも変更されます3。

2 アクティブカメラを選択する

マルチカメラでの編集後、マスターに表示されるのはアクティブなカメラ（アクティブなクリップ）の映像です。このとき、ほかのトラックのクリップはミュート状態になっています。このアクティブとミュートを切り替えるには、タイムラインカーソルをアクティブなクリップに合わせます1。プレビュー画面ではアクティブなクリップの映像が青い枠で囲まれ2、マスターの映像はアクティブなクリップの映像が表示されます3。

3 サムネイルをクリックする

プレビューウィンドウでミュート状態のサムネイルをクリックすると1、そのクリップがアクティブ状態になり2、アクティブカメラが替わります。

▶ アクティブなクリップを1本にまとめる

マルチカム編集のトラックは、アクティブなカメラのクリップがバラバラに散在しています。このままでもかまわないのですが、たとえばトランジションを設定するときなど、ちょっと不便なこともあります。そのようなときは、アクティブな部分だけを1つのトラックにまとめることができます。

1 コマンドを選択する

マルチカムモードの状態で、メニューバーから「モード」→「採用クリップをトラックへまとめる…」を選択します。

2 出力先トラックを指定する

「採用クリップをまとめる」ダイアログが表示されるので、出力先のトラックを選択します。出力先のトラックは、クリップが配置されていないトラックがあればそれを指定するか、自動または手動でトラックを追加することもできます。この場合は、「出力先トラック選択」メニューで「新規トラック」を選択して■、「OK」ボタンをクリックします■。なお、トラックは「V」または「VA」が選択できます。

3 トラックにまとめられる

トラックが追加され、アクティブなクリップだけでトラックが構成されます。なお、EDIUSでは一番上のトラックが画面前面に表示されるので、追加されたトラックの下にあるトラックは表示されません。

POINT

ギャップの発見

アクティブなクリップを1本にまとめる作業は必須ではありません。しかし、たとえばギャップがある場合、再生しないと発見できない可能性があります。そのようなケースでは、アクティブなクリップを1本にまとめることで、ギャップを発見しやすくなります。

CHECK!

マルチカムシンクを利用する

正しく複数のカメラで同じ被写体を撮影したマルチカムでのデータは、「マルチカムシンク」を利用して、各オプションを設定して「OK」をクリックしましょう。クリップが同期されながら、タイムラインに配置されます。なお、タイムラインへの配置後の操作は、手動の場合と同じです。

▲■複数のクリップを選択する ■クリップ上で右クリックする。

◀■同期の方法を選択する。
■出力方法を選択する。
■「OK」をクリックする。

▲■表示されたメニューの「マルチカムシンク...」を選択する。

SECTION 13 CHAPTER 04 ▶ トリミング

静止画像のトリミング

写真などの静止画像は、トリミングによってデュレーションを調整できます。ここでは必要な部分を残すのではなく、必要な時間だけ表示するためにトリミングを行います。

▶ 静止画像は動かない動画データ

写真など静止画像は、「動かない動画データ」として EDIUS Pro に取り込まれます。トリミングなどの詳しい操作方法については P.126 以降の解説も参照してください。

●5秒の動かない動画

写真などの静止画像をタイムラインのトラックに配置すると、デュレーションが5秒の動かないムービークリップとして配置されます。

●表示時間を調整する

イメージクリップのトリミングは「必要な時間だけ表示させる」ことが目的です。デフォルトでは5秒ですが、10秒表示したい、あるいは3秒の表示でよいなど、必要な時間に合わせてデュレーションを設定することがトリミングの目的です。

▲デフォルトのデュレーションは5秒間。

▲デュレーションを10秒にトリミングする。

▲デュレーションを3秒にトリミングする。

CHAPTER

05

THE PERFECT GUIDE FOR EDIUS Pro

[トランジション]

SECTION 01 トランジションについて理解する

CHAPTER 05 ▶ トランジション

「トランジション」はクリップとクリップのカットポイントに設定するエフェクトです。トランジションはスムーズな場面転換を演出する場合に利用します。

▶ トランジションについて

エフェクトの「トランジション」は、クリップとクリップの接合点である「カットポイント」に設定するエフェクトです。クリップとクリップが切り替わる場面転換の際、突如として場面が変わるのではなく、アニメーション効果などでスムーズに切り替えてくれます。たとえばディゾルブというエフェクトを利用すると、前の映像は徐々にフェードアウトし、次の映像が徐々にフェードインしてくる効果で場面転換ができます。

トランジション未使用

▲トランジションを使用しないと、カットポイントで突如として画面が切り替わる。

トランジションを使用(ディゾルブ)

▲前の映像が徐々にフェードアウトしながら、次の映像が徐々にフェードインしてくる演出で、画面を切り替えることができる。

▶ トランジションはエフェクトの一種

トランジションはクリップにさまざまな効果を設定する「エフェクト」の一種です。トランジションは「エフェクト」パレットで選択・設定します。

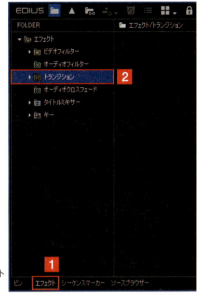

▶「エフェクト」タブをクリックし❶、「トランジション」を展開して利用する❷。

▶ クリップはトリミングしておく

トランジションを設定するクリップは、事前にトリミングしておく必要があります。トリミングしていないクリップには、通常はトランジションを設定できません。なお、設定を変更することで、トリミングしていないクリップにもトランジションを設定できるようになります（P.156参照）。

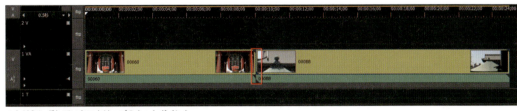

▲トリミングしていないクリップのカットポイント。

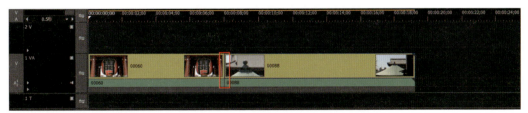

▲カットポイントをトリミングする。

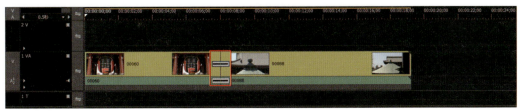

▲カットポイントにトランジションを設定した状態。

SECTION 02　トランジションを選択する

CHAPTER 05　トランジション

トランジションはエフェクトのパネルに登録されています。トランジションのタイプによって、複数のカテゴリーに分類されています。

▶ トランジションのタイプ

EDIUS Pro のトランジションは、対応するシステムのタイプや機能の特徴などによって、4つのタイプに分かれています。

●標準的なトランジション

トランジションのうち、「2D」「3D」というカテゴリーに登録されているトランジションです。

▲標準的なトランジションのうち、「2D」に登録されているトランジション。

●GPUトランジション

グラフィックシステムのGPUを利用して表示するトランジションで、数が多いのが特徴です。「システムプラグインエフェクト」と呼ばれ、トランジションアイコンの右下に「S」の文字が表示されています。

▲「GPUトランジション」は種類が多いのが特徴。

● **SMPTEトランジション**

SMPTE規格のトランジションです。この機能の特徴は、EDLファイル（編集作業をリスト化し、テキスト形式で保存したファイル）にトランジション設定を保存できる点です。トランジション効果自体は、ほかのトランジションでも同じ効果を設定できます。トランジションアイコンのアイコン名には「SMPTE」と付けられています。

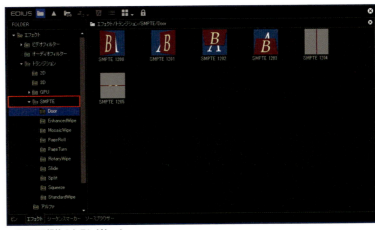

▲SMPTE規格のトランジション。

● **アルファ**

アルファ（透過性）を利用したトランジションの1つです。クリップAからクリップBに徐々に切り替わるディゾルブのようなトランジションですが、ディゾルブのしかたにムラを付けたり、方向や回転、速度などを変化させたりできます。

▲「アルファ」のトランジション。

POINT

「システムプラグインエフェクト」について

「システムプラグインエフェクト」は、GPUトランジションの「詳細設定」にある19種類の「プラグインベースエフェクト」をベースに作られたエフェクトです。ユーザー自身でトランジションを作成する場合も、この「プラグインベースエフェクト」をベースに利用します。

▶プラグインベースエフェクト。

POINT

SMPTE 規格とは？

SMPTEとは全米映画テレビジョン技術者協会（Society of Motion Picture and Television Engineers）の略で、音響・フィルム・テレビ関連の技術基準を定めた規格です。

CHAPTER 05 トランジション

SECTION 03　トランジションを設定する

CHAPTER 05 ▶ トランジション

タイムラインに配置したクリップにトランジションを設定してみましょう。トランジションはクリップとクリップの接合点、いわゆるカットポイントに設定します。

▶ クリップにトランジションを設定する

タイムラインに配置したクリップにトランジションを設定します。トランジションはクリップをトリミングしてから設定します。

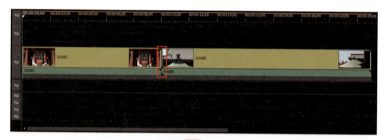

1　クリップをトリミングする

タイムラインにクリップを配置し、カットポイントをトリミングします。

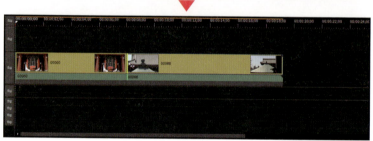

2　トランジションを選択する

「エフェクト」パネルから「トランジション」を選択します。「エフェクト」タブをクリックし**1**、利用したいトランジションのカテゴリー（ここでは「ピール」）を開き**2**、適用するトランジションを選択します**3**。

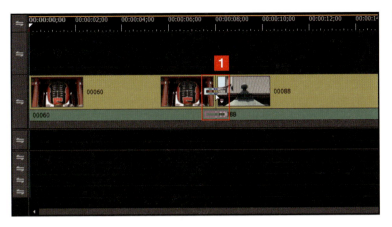

3 トランジションを配置する

「エフェクト」パネルから、選択したトランジションをカットポイントにドラッグ&ドロップします■1。トランジションが配置されて■2、オーディオ部にはデフォルトの「オーディオクロスフェード」というオーディオ用のトランジションが自動で設定されます■3。

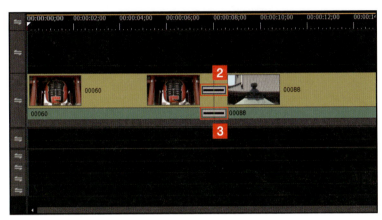

POINT

トリミングしてないクリップの場合

トリミングしてないクリップのカットポイントにはトランジションを配置できません。トリミングしていないクリップに配置すると、トランジションはミキサー部に配置されます。これは、トランジションがトリミングで表示されていないフレームを合成に利用することで実現しているエフェクトだからです。

CHECK!

トランジションのプレビュー

手順■2でトランジションのアイコンをクリックすると、アイコンがアニメーションして効果を確認できます。また、マウスポインターをアイコンに合わせているとヘルプが表示されて、効果のアニメーションがアイコンで表示されます。

▶ 片方のクリップだけトリミングしてある場合

接合された2つのクリップのうち、片方のクリップだけがトリミングされている場合、トランジションを設定すると、トリミングしていないクリップ側にトランジションのガイド枠が表示されます。

◀左のクリップはトリミングしていない。

◀トリミングしていないクリップにガイド枠が表示される。

▶ トリミングしていないクリップに配置する場合のユーザー設定

トリミングしていないクリップにトランジションを配置する場合、トランジションはミキサー部に配置されます。これをきちんとビデオ部、オーディオ部に配置させるには、メニューバーから「設定」→「ユーザー設定」を選択し、「ユーザー設定」ダイアログの「アプリケーション」→「タイムライン」にある「トランジション／クロスフェードに合わせてクリップを伸縮する」のチェックボックスをオフにします。

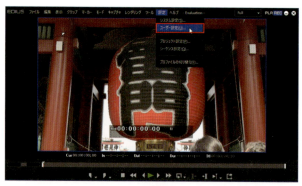

◀「設定」→「ユーザー設定」をクリックする。

◀「トランジション／クロスフェードに合わせてクリップを伸縮する」のチェックボックスをオフにする。

◀設定前はトランジションがミキサー部に配置される。

◀設定後はトランジションがビデオ部に配置される。

▶ トラックトランジション

複数のトラックに配置されているクリップ間でトランジションを利用する場合、「トラックトランジション」を利用します。たとえば、1VAトラック■と2Vトラック■にビデオクリップを配置し、2Vトラックに配置したクリップのミキサー部にトランジションを配置します■。これで、クリップとクリップの切り替わりにトランジション効果を設定できます。

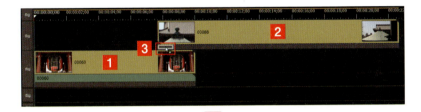

◀このようにビデオクリップとトランジションを配置する。

▶クリップとクリップの切り替わりにトランジション効果が設定される。

SECTION **04** CHAPTER 05 ▶ トランジション

伸縮モードと固定モードを切り替えて設定する

トランジションを設定する際、クリップ全体の長さを変えずに設定する「伸縮モード」と、クリップ全体の長さが変わる「固定モード」という、2つのモードを利用できます。

▶ 伸縮モードと固定モードの切り替え

EDIUS Pro には「伸縮モード」と「固定モード」という2つのモードがあります。「伸縮モード」でトランジションなどを設定しても、クリップ全体の長さが変わりません。デフォルトでは伸縮モードが適用されています。これに対し、「固定モード」でトランジションなどを設定すると、クリップ全体の長さが変わります。

● 伸縮モードに設定する

伸縮モードに設定するには、メニューバーから「設定」→「ユーザー設定」**1**を選択します。「ユーザー設定」ダイアログで「アプリケーション」を選択してツリーを表示し、「タイムライン」を選択します**2**。ここにある「トランジション／クロスフェードに合わせてクリップを伸縮する」のチェックボックスをオンにします**3**。

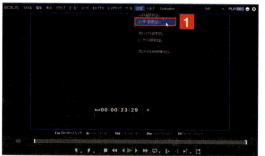 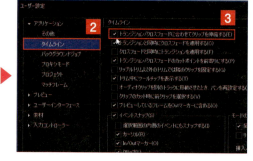

▲「ユーザー設定」ダイアログで伸縮モードに設定する。

● 固定モードに設定する

固定モードに設定するには、「ユーザー設定」ダイアログの「タイムライン」**1**にある「トランジション／クロスフェードに合わせてクリップを伸縮する」のチェックボックスをオフにします**2**。

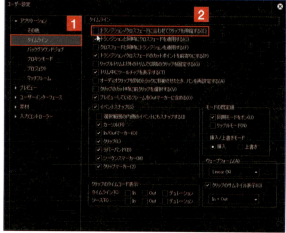

▲「ユーザー設定」ダイアログで固定モードに設定する。

▶ トランジションを設定する

伸縮モードでは、クリップ全体の長さを変えずにトランジションを設定できます。これに対して、固定モードでトランジションを設定すると、クリップ全体の長さが変化してトランジションのデュレーション（長さ）の分だけ短くなります。

伸縮モードでトランジションを設定する

▲クリップ全体の長さは変化しない。

固定モードでトランジションを設定する

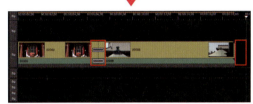

▲クリップ全体の長さが変化する。

▶ トランジションを削除する

伸縮モードでトラックに設定されているトランジションを削除しても、クリップ全体の長さは変わりません。これに対して、固定モードでトランジションを削除すると、クリップ全体の長さが変化してトランジションのデュレーション（長さ）の分だけ長くなります。

伸縮モードでトランジションを削除する

▲クリップ全体の長さは変化しない。

固定モードでトランジションを削除する

▲クリップ全体の長さが変化する。

CHECK!

シンクロックとの併用

固定モードでほかのトラックのクリップもトランジションの設定と連動して移動させたい場合は、連動させたいトラックのシンクロック（同期）をオンにします（P.108参照）。

SECTION CHAPTER 05 ▶ トランジション

05 デフォルトトランジションを設定する

よく利用するエフェクトをデフォルト（既定）として設定しておくと、ボタンを利用してかんたんにエフェクトを設定できるようになります。

▶「規定のトランジションの適用」を利用する

タイムラインの操作ボタンには、「既定のトランジションの適用」というボタンがあります。このボタンをクリックするだけで、タイムラインに配置したクリップに対して、トランジションなどのエフェクトをかんたんに設定できます。

1 クリップを選択する

トラックに配置したクリップのうち、トランジションなどのエフェクトを設定したいクリップを選択します。

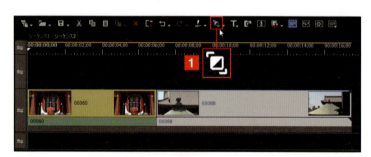

2 トランジションを設定する

タイムラインパネルの操作ボタンにある「既定のトランジションの適用」ボタンをクリックすると 1、既定のトランジションが設定されます 2。

CHECK!

ショートカットキーで適用

適用ボタンの右にある「▼」をクリックすると、トランジションを適用するためのショートカットキーが一覧で確認できます。

160

SECTION 06 トランジションを交換する

CHAPTER 05 ▶ トランジション

ここでは、すでにクリップに設定したトランジションを別のトランジションに交換する方法について解説します。

▶ トランジションを入れ替える

すでにタイムラインのクリップに設定してあるトランジションを別のトランジションに入れ替えるには、その上に新しいトランジションをドラッグ＆ドロップします。

◀設定したトランジションを選択すると、「インフォメーション」パレットで確認できる。

◀トランジションを選択する。

◀選択したトランジションを、既設のトランジションの上にドラッグ＆ドロップする。

◀トランジションが入れ替わる。

SECTION 07　CHAPTER 05 ▶ トランジション

トランジションを削除する

ここでは、設定済みのトランジションを削除する方法について解説します。クリップに設定したトランジションを削除する方法は複数あります。

▶ 設定したトランジションを削除する

タイムラインのクリップに設定したトランジションを削除するには、目的のトランジションを選択して Delete キーを押すか、トランジションを右クリックして表示されたコンテキストメニューから「削除」を選択します。

Delete キーで削除する

◀トランジションを選択して、Delete キーを押して削除する。

コンテキストメニューから削除する

◀トランジションを右クリックして 1 、コンテキストメニューから「削除」を選択する 2 。

SECTION 08 トランジションのデュレーションを変更する

クリップにトランジションを設定すると、そのデュレーションはデフォルトで1秒間になります。ここでは、トランジションのデュレーションを変更する2つの方法について解説します。

▶ トリミングでデュレーションを変更する

トランジションのデュレーションを変更するには、変更ポイント（In点、Out点）をドラッグする方法と、「エフェクト」パレットで設定値を変更する方法があります。

● ドラッグで変更する

トランジションのデュレーションを変更するうえで、もっとも一般的な方法です。トラックのクリップに設定したトランジションで、ガイド枠のIn点とOut点をドラッグします。画面では、Out点をドラッグしてデュレーションを変更しています❶。なお、ドラッグ中は調整しているデュレーションが表示されます❷。

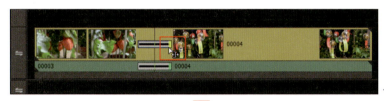
◀Out点をクリックして選択する。

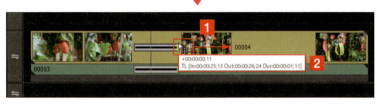
◀Out点をドラッグすると、変更したデュレーションが表示される。

● トリムモードに切り替える

クリップに設定したトランジションのIn点とOut点を選択する際、トリムモードに切り替えて（P.135参照）❶、「トリムモード（トランジション）」ボタンをクリックすると❷、ガイド枠のIn点やOut点が選択されるので❸、トランジションを操作しやすくなります。

▲トリムモードに切り替える。

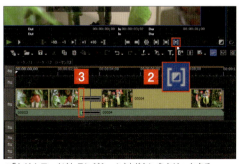
▲「トリムモード（トランジション）」ボタンをクリックする。

▶「エフェクト」パレットでデュレーションを変更する

「エフェクト」パレットに登録されているトランジションのデュレーションは、デフォルトでは1秒に設定されています。この秒数を変更すると、変更した秒数でトランジションを設定できます。

1 「エフェクトデュレーション」設定パネルを表示する

デュレーションを変更したいトランジションが登録されている「エフェクト」パレットを開きます■。目的のトランジションのアイコンを右クリックして■、コンテクストメニューの「デュレーション」→「トランジション」を選択します■。

2 デュレーションを変更する

デュレーションを変更するタイムコードが配置された、設定ダイアログが表示されます。利用したいデュレーションを入力して■、「OK」ボタンをクリックします■。なお、変更したデュレーションは、以降はすべてのトランジションに適用されます。

▲新しく設定したトランジション。

3 トランジションを設定する

タイムラインのクリップにトランジションを設定すると、手順■で設定したデュレーションがデフォルトのデュレーションとして設定されます。なお、オーディオ用のトランジションを変更していない場合は、オーディオ部のデュレーションは変化しません。

▲新トランジションのデフォルトデュレーション。

SECTION 09

CHAPTER 05 ▶ トランジション

トランジションを
カスタマイズする

クリップに設定したトランジションの効果を目立たせたい、あるいは効果の一部を変更したいといった場合は、トランジションをカスタマイズすることができます。

▶ トランジションのオプション設定を変更する

クリップに設定したトランジションは、各オプションとそのパラメータを調整することでカスタマイズできます。パラメータは専用のダイアログで設定します。ここでは、「ダブルドア」というトランジションをカスタマイズする手順を解説します。

カスタマイズする前のダブルドア

カスタマイズした後のダブルドア

▲2枚扉が開くようにして映像が切り替わる。

▲開く2枚扉の周囲にボーダー（境界）が設定されている。

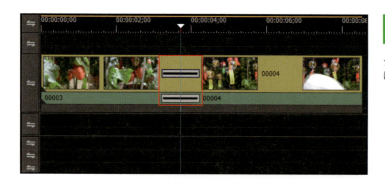

1 トランジションを設定する

タイムラインに配置したクリップにトランジションを設定します。

2 詳細設定パネルを表示する

「エフェクトリスト」に設定したトランジション名が表示されています。ここでカスタマイズしたいトランジション名をダブルクリックすると、オプションの設定画面が表示されます。

CHECK!

ダブルクリックで表示

クリップに設定したトランジションのガイド枠をダブルクリックするか、あるいはガイド枠を右クリックして❶、コンテクストメニューから「設定」を選択することでも❷、オプションの設定画面を表示できます。

3 オプションを設定する

設定画面の「パラメータ」アイコンボタンをクリックして❶、「ピクチャ」タブをクリックし❷、オプションの「ボーダー」をオンにします❸。「カラーボックス」をクリックすると、ボーダーの色を選択できます❹。これで、ドアの周囲にボーダーが表示されます❺。

▲ボーダーの設定前。

▲ボーダーを設定した状態。

4 他のオプションを設定する

必要に応じて、「パラメータ」タブや「トランスフォーム」タブなどにあるさまざまなオプションを設定し❶、「OK」ボタンをクリックします❷。

SECTION CHAPTER 05 ▶ トランジション

10 アルファカスタムでトランジションを作成する

デフォルトのトランジションのほかに、ユーザー自身でオリジナルのトランジションを作成することができます。ここでは、オリジナルのトランジションの作成方法を解説します。

▶ アルファカスタムの使い方

EDIUS Pro では、オリジナルのトランジションを作成するための素材として、「アルファカスタム」というトランジションが用意されています。アルファカスタムを利用すると、かんたんにオリジナルのトランジションを作成し、「エフェクト」パレットに登録できます。

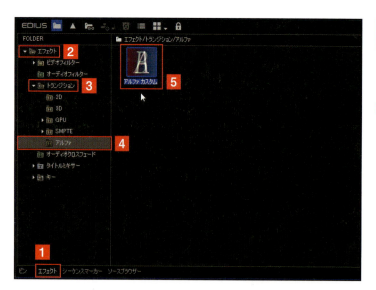

1 アルファカスタムを選択する

「エフェクト」パレット**1**のフォルダービューにある「エフェクト」**2**から、「トランジション」**3**→「アルファ」を選択し**4**、エフェクトビューから「アルファカスタム」を選択します**5**。

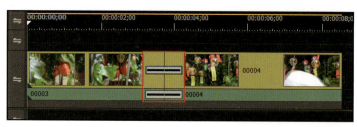

2 トランジションとして設定する

タイムラインに配置したクリップにアルファカスタムを設定します。

3 「カスタム」を選択する

P.176 の「インフォメーション」パレットからパレットを表示する方法でアルファカスタムの設定画面を表示し、「プリセット」タブをクリックします**1**。続いて「グループ」にある「カスタム」を選択します**2**。

168

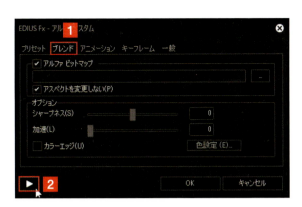

4 デフォルトの効果を確認する

「ブレンド」タブ①の「再生」ボタンをクリックし②、デフォルトのトランジション効果を確認します。デフォルトは「ディゾルブ」です。

5 アルファビットマップを選択する

設定画面の「ブレンド」タブにある「...」ボタンをクリックします①。「ファイルを開く」画面で利用したいビットマップデータを選択し②、「開く」ボタンをクリックします③。

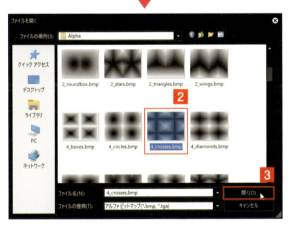

POINT

EDIUS Pro に付属のビットマップデータ

EDIUS Pro にはビットマップデータが付属しています。C ドライブで以下の順にフォルダーを開いていくと、保存されたビットマップデータのファイルが確認できます。自分で作成したビットマップデータを利用する場合は、手順 5 で保存先のフォルダーを選択します。

「Program File」→「Grass Valley」→「EDIUS X」→「EDIUS Fx」→「Alpha」

6 カラーエッジをオンにする

設定画面にある「カラーエッジ」のチェックボックスをオンにします。

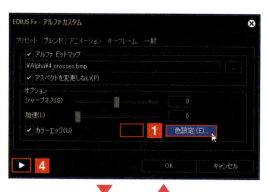

7 エッジの色を選択する

カラーエッジの「カラーボックス」または「色設定…」ボタンをクリックします❶。表示されたカラーピッカーから色を選択し❷、「OK」ボタンをクリックします❸。設定画面の「再生」ボタンクリックして❹、設定した効果を確認します。

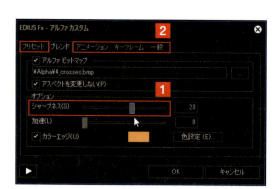

8 オプションを調整する

「オプション」にある「シャープネス」や❶、その他のタブ❷にあるオプションなどを設定します。

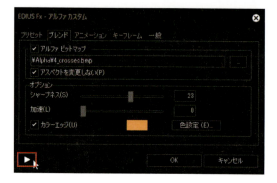

9 効果を確認する

「再生」ボタンをクリックして、効果を確認します。

10 オリジナルを保存する

「プリセット」タブをクリックし❶、「名前」に好きなトランジション名を入力して❷、「セーブ」ボタンをクリックします❸。これでオリジナルのトランジションとして登録されて、一覧にトランジション名が表示されます。

▶ 登録したトランジションを利用する

作成したオリジナルのトランジションは、いつでも「ロード」して利用できます。P.154を参考にして、クリップにトランジションの「アルファカスタム」を設定します。アルファカスタムの設定画面を表示して、「プリセット」タブで❶「グループ」の「カスタム」を選択します❷。一覧に登録名が表示されるので、利用したいトランジション名を選択して❸、「ロード」ボタンをクリックすると❹、トランジションに選択した効果が適用されます。

◀「エフェクト」パレットのフォルダービューで「アルファカスタム」を選択する。

◀クリップのカットポイントにアルファカスタムをドラッグ＆ドロップする。

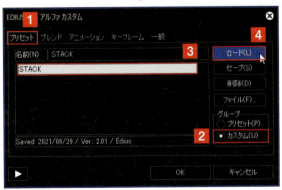

◀アルファカスタムの設定画面でオリジナルのトランジションをロードする。

SECTION CHAPTER 05 ▶ トランジション

11 デフォルトトランジションを設定する

「既定のトランジションの適用」などで設定されるデフォルトトランジションは、好みのトランジションをデフォルトとして設定できます。

▶ デフォルトトランジションとして設定する

「既定のトランジションの適用」などで適用されるトランジションを「デフォルトトランジション」といいます。よく利用するトランジションがあれば、デフォルトのトランジションとして設定すると便利です。

1 現在のデフォルトトランジションを確認する

エフェクトビューに表示されるアイコンの一覧で、「D」のマークが表示されているのがデフォルトトランジションです。EDIUS Pro をインストールした直後は、「2D」カテゴリーにある「ディゾルブ」がデフォルトトランジションに設定されています。

2 デフォルトトランジションを変更する

デフォルトトランジションに設定したいアイコンを右クリックし **1**、コンテクストメニューから「このエフェクトをデフォルトにする」を選択します **2**。デフォルトトランジションに設定されると、アイコンには「D」のマークが表示されます **3**。

CHAPTER

06

THE PERFECT GUIDE FOR EDIUS Pro

[エフェクト]

SECTION 01 CHAPTER 06 ▶ エフェクト

ビデオフィルターをクリップに適用する

「エフェクト」の「ビデオフィルター」を利用すると、さまざまな効果を使って映像を加工・演出することが可能です。

▶ ビデオフィルターを適用する

「ビデオフィルター」は映像全体に特殊な効果を設定するための機能です。ビデオフィルターは元の映像を加工するため、エフェクト効果をしっかりと確認して利用しましょう。以下は EDIUS Pro で利用できるビデオフィルターの一例です。

ノーマルの状態

▲ビデオフィルターを適用していない映像。

オールドムービー

▲古いテレビ番組やビデオ映像のような画質・色合いの映像になる。

ソフトフォーカス

▲やや画面をぼかした、やさしい印象の映像になる。

モザイク

▲四角いマス目で画面を構成したような映像になる。

1 エフェクトを選択する

「エフェクト」タブをクリックして**1**、「エフェクト」パレットのエフェクトツリーで「エフェクト」→「ビデオフィルター」を選択します**2**。エフェクトビューで利用したいエフェクトを選択します**3**。

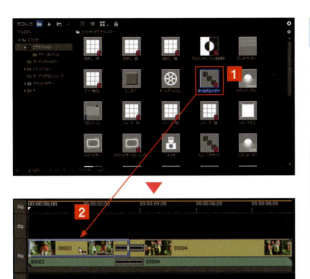

2 エフェクトをクリップにドラッグ&ドロップする

手順1で選択したエフェクトを1、タイムラインに配置したクリップ上にドラッグ&ドロップします2。クリップにエフェクトが適用されて、プレビューウィンドウにはエフェクトの効果が表示されます3。

POINT

エフェクトのヘルプ

エフェクトビューでエフェクトのアイコンにマウスを合わせると、エフェクト名と説明がバルーンヘルプで表示されます。

CHECK!

エフェクトのプロパティを確認する

アイコンを選択して1、操作ボタンの「プロパティの表示」をクリックすると2、エフェクトのプロパティが表示されます。アイコンを右クリックして、コンテクストメニューの「プロパティの表示」を選択することでも、エフェクトのプロパティを表示できます。

CHECK!

エフェクトの種類

大きく分けて、EDIUS Pro のエフェクトは以下の4種類があります。

 プラグインベースエフェクト

初期登録されている基本エフェクトです。「エフェクト」パレットから削除できません。ビデオフィルター、オーディオフィルター、トランジション、オーディオクロスフェード、タイトルミキサーなどがあります。

 システムプリセットエフェクト

初期登録されており、プラグインベースエフェクトからカスタマイズしたエフェクトです。「エフェクト」パレットから削除できません。アイコンには「S」の文字が付きます。

 ユーザープリセットエフェクト

ユーザーが登録したエフェクトです。アイコンには「U」の文字が付きます。

 デフォルトエフェクト

デフォルト設定で利用されるエフェクトです。トランジション、オーディオクロスフェード、タイトルミキサーのみ設定できます。アイコンには「D」の文字が付きます。

175

SECTION CHAPTER 06 ▶ エフェクト

02 ビデオフィルターを カスタマイズする

クリップに設定したエフェクトはプロパティを調整できます。また、カスタマイズしたエフェクトは、ユーザープリセットエフェクトとして「エフェクト」パレットに登録できます。

▶ エフェクトを調整する

クリップに設定したエフェクトは、必要に応じてカスタマイズできます。カスタマイズは各エフェクトの設定画面で操作します。エフェクトを設定したクリップは選択状態にしておきます。

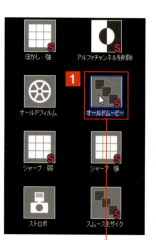

1 エフェクトを設定する

フィルターを選択し**1**、タイムラインに配置したクリップにドラッグ＆ドロップで設定します**2**。設定したエフェクトの名前は「インフォメーション」パレットに表示されます**3**。

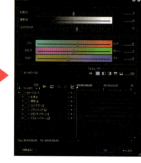

2 フィルターのダイアログを表示する

「インフォメーション」パレットでフィルターを選択し**1**、「設定」ボタンをクリックすると**2**、フィルターの設定ダイアログが表示されます。

POINT

「オールドムービー」は複数のエフェクトの合成
ここで設定している「オールドムービー」というビデオフィルターは、「カラーバランス」と「ビデオノイズ」という2つのフィルターを組み合わせて効果を演出しています。

3 設定ダイアログで設定変更する

フィルターの設定ダイアログで、各オプションのパラメータを変更します。なお、設定ダイアログにある項目はフィルターによって異なります。

▲設定を変更する前の設定ダイアログと映像。

▲設定を変更した後の設定ダイアログと映像。

CHECK!

ドラッグ＆ドロップで登録する
「インフォメーション」パレットに表示されているフィルターを「エフェクト」パレットにドラッグ＆ドロップすることでも、「エフェクト」パレットに登録できます。

▶ 設定を保存する

フィルターのオプション設定を変更したら、そのフィルターを「ユーザープリセットエフェクト」として「エフェクト」パレットに登録できます。このとき、複数のフィルターをまとめて、1つのフィルターとして登録できます。

1 フィルターを選択する

「インフォメーション」パレットでフィルターを選択します。複数のフィルターを選択することも可能です。

2 登録用のフォルダーを選択する

フィルタービューで、フィルターを登録するフォルダーを選択します。

3 作成方法を選択する

「インフォメーション」パレットで登録するエフェクト名を右クリックし、コンテクストメニューで「1つのユーザープリセットとして作成」を選択します。

4 アイコン名を変更する

「エフェクト」パレットにアイコンが登録されるので、アイコン名を変更します❶。登録されたアイコンには「U」マークが表示されます❷。

SECTION 03 複数のフィルター設定と削除

CHAPTER 06 ▶ エフェクト

1つのクリップには複数のフィルターを設定できます。ここでは、複数のフィルターの設定と削除の方法について解説します。

▶ 複数のフィルターを設定する

タイムラインに配置したクリップには複数のフィルターを設定できます。ここでは、「セピア」と「エンボス」という2種類のフィルターをクリップに設定します。

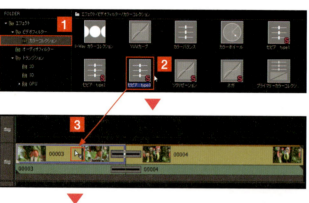

1 「セピア」を設定する

「エフェクト」パレットのフォルダーツリーで「ビデオフィルター」→「カラーコレクション」を選択し■、フィルターの「セピア：type3」をタイムラインのクリップに設定します■■。「インフォメーション」パネルでは、「セピア」は「カラーバランス」という名前で表示されます■。

2 「エンボス」を重ねて設定する

同様に、「セピア」を設定したタイムラインのクリップに「エンボス」を設定します■■。「エンボス」は「エフェクト」パレットの「ビデオフィルター」に登録されています。

▶ フィルターの順番を変更する

1つのクリップに複数のフィルターを設定した場合、「インフォメーション」パレットの表示の順番をドラッグして変更すると、設定したフィルターの効果も変わります。

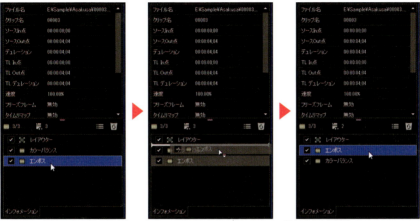

▲「カラーバランス」の下に表示されている「エンボス」をドラッグして、「エンボス」を上に配置する。

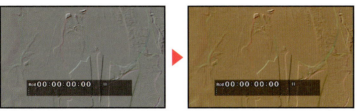

▲プレビュー画面には、「エンボス」の上に「カラーバランス」の効果が重なって表示される。

CHECK!

フィルターの順番と効果

「インフォメーション」パレットで「カラーバランス」の下に「エンボス」が表示されている場合、プレビュー画面ではカラーバランスの上にエンボスの効果が表示されます。この順番を入れ替えると、プレビュー画面ではエンボスの上にカラーバランスの効果が表示されます。このように、「インフォメーション」パレットでのフィルターの表示順と、実際に表示される効果は順番が逆になります。

▶ フィルターを削除する

フィルターを削除するには、「インフォメーション」パレットでフィルター名を選択し **1**、「削除」ボタンをクリックします **2**。プレビュー画面から、削除したフィルターの効果が消えます。

▲フィルターを削除すると、プレビュー画面からそのフィルターの効果が消える。

SECTION 04 ホワイトバランスを調整する

CHAPTER 06 ▶ エフェクト

素材映像のカラーバランスがズレてしまった場合、カラーコレクションの「3-Wayカラーコレクション」でかんたんに補正することができます。

▶ ホワイトバランスを調整する

ホワイトバランスがズレた状態で撮影された映像は、ビデオフィルターの「カラーコレクション」にある「3-Wayカラーコレクション」(P.184参照)でホワイトバランスを補正します。

補正前の映像

▲赤カブリの状態。

ホワイトバランスを補正後の映像

▲自然な色調になっている。

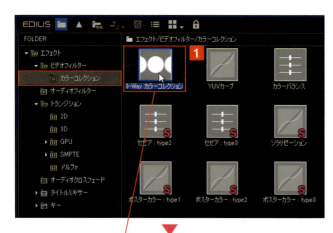

1 「3-Wayカラーコレクション」を適用する

カラーコレクションにあるフィルターの「3-Wayカラーコレクション」を選択し **1**、カラー補正をしたいクリップに適用します **2**。

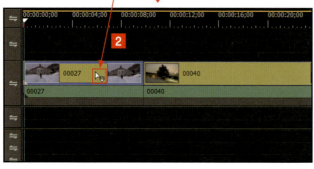

2 設定ダイアログを表示する

「インフォメーション」パレットで「3-Wayカラーコレクション」を選択し ①、「設定」ボタンをクリックします ②。

3 グレイバランスを調整する

「3-Way カラーコレクション」の設定ダイアログが表示されたら、「カラーピッカー」の「グレイ」にチェックを入れます ①。次に、プレビューウィンドウでグレーに見せたい部分をクリックします ②。クリックした部分をグレーで表示するように、全体の色味が自動調整されます。

4 ホワイトバランスを調整する

「3-Way カラーコレクション」の設定ダイアログで、「カラーピッカー」の「ホワイト」にチェックを入れます ①。次に、プレビューウィンドウでホワイトに見せたい部分をクリックします ②。クリックした部分をホワイトで表示するように、さらに全体の色味が自動調整されるので、確認して「OK」ボタンをクリックします ③。

SECTION 05 YUVカーブで色補正する

CHAPTER 06 ▶ エフェクト

「YUVカーブ」を利用すると、Y（輝度）、U（青の色差）、V（赤の色差）の各要素別にトーンカーブを表示し、このカーブを調整することで色補正ができます。

▶ YUVカーブについて

Y（輝度）、U（青の色差）、V（赤の色差）の各要素別に、入力（横軸）と出力（縦軸）のレベル調整ができます。ライン上をクリックするとポイントが追加されるので、ドラッグして調整します。不要なポイントは右クリックで削除できます。「初期値」をクリックすると、デフォルトの設定に戻すことができます。

▶カラーコレクションのフィルター「YUVカーブ」のアイコン。

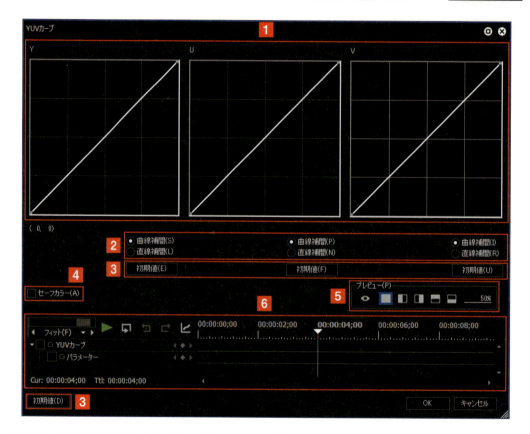

■ **YUVカーブ** Y、U、Vの要素別にラインをドラッグして調整します。

■ **曲線補完／直線補完** グラフラインを曲線にするか直線にするかを設定できます。

■ **初期値** YUV各グラフを変更した場合、初期値に戻します。

■ **セーフカラー** チェックを入れると、映像信号がYUV色空間からはずれないように自動で調整します。

■ **プレビュー設定** フィルターの効果を確認するプレビュー画面の設定ができます。

A：効果のオン／オフを切り替えます。
B：効果の比較をするプレビュー画面の分割方法を選択します。
C：プレビュー画面にフィルターを適用した映像を表示する割合を設定します。

■ **キーフレーム設定** グラフの変化をアニメーションさせます。

> **POINT**
>
> **「色差」について**
> 「色味」の補正は色そのものではなくて、赤・青・緑の代わりに、それぞれの色味から、ほかの2つの色味の平均を差し引いたものを利用します。これを、その色味の「色差」といいます。このほか、輝度（Y）と青色成分との差が「青の色差」（U）、輝度と赤色成分との差が「赤の色差」（V）です。

▶ YUVカーブで色補正する

YUVカーブでは、それぞれのカーブを調整して映像を補正します。

●Yカーブで明るさを調整する

Yカーブは輝度を変更することで、映像の明るさを調整します。調整が完了したら「OK」ボタンをクリックします。

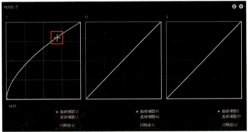
▲Yカーブで輝度を変更する。

▲映像の明るさが調整される。

●Uカーブで色味を調整する

青の色差のUカーブで色味を調整します。調整が完了したら「OK」ボタンをクリックします。

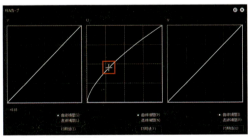
▲Uカーブで色味を調整する。

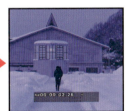
▲映像の青さが調整される。

●Vカーブで色味を調整する

赤の色差のVカーブで色味を調整します。調整が完了したら「OK」ボタンをクリックします。

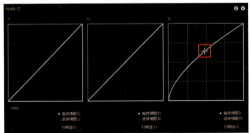
▲Vカーブで色味を調整する。

▲映像の赤さが調整される。

SECTION 06

CHAPTER 06 ▶ エフェクト

3-Wayカラーコレクションで指定した色のみを補正する

ビデオデータは複数の方法で色補正ができます。ここでは、カラーコレクションのフィルター「3-Wayカラーコレクション」を利用して、指定した色のみを補正する方法を解説します。

▶「3-Way カラーコレクション」について

「3-Way カラーコレクション」は、ホワイトバランスの補正のほかに（P.180 参照）、指定した範囲の色補正など細かい調整ができるフィルターです。

▲カラーコレクションのフィルター「3-Wayカラーコレクション」のアイコン。

1 バランス調整カラーホイール シャドウ（ブラック）、中間部（グレイ）、ハイライト（ホワイト）の各ポイントをドラッグして補正します。

2 効果範囲の制限 指定した範囲のみ補正します。「Hue」（色相）、「彩度」、「輝度」にチェックを入れて、補正する範囲を指定できます。

A：補正量を徐々に上げていく範囲です。
B：補正を100%適用する範囲です。
C：補正量を徐々に下げていく範囲です。

3 キー表示 「効果範囲の制限」の設定により、どの領域に効果が出るのかを確認できます。100%の領域は白色、0%の領域は黒色で表示されます。

4 ヒストグラム表示 計算したヒストグラムをHue、彩度、輝度の各項目で表示します。

5 カラーピッカー プレーヤーやレコーダーの表示画像から色を選択できます。

6 プレビュー設定 カラーコレクションを適用した画像と元の画像を比較するためのオプションが用意されています。

A：効果のオン／オフを切り替えます。
B：効果の比較をするプレビュー画面の分割方法を選択します。
C：プレビュー画面にフィルターを適用した映像を表示する割合を設定します。

7 キーフレーム設定 フィルターの変化をアニメーションさせます。
8 初期値 関連するパラメータを初期の設定値に戻します。

> **POINT**
>
> 「Hue」について
> 色を構成する「色相」「彩度」「輝度」のうち、Hueは「色相」を指しています。

▶「3-Way カラーコレクション」で特定範囲の色補正を行う

ここでは「3-Way カラーコレクション」を利用して、指定した範囲の色を補正する方法について解説します。

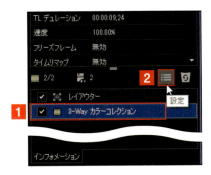

1 設定ダイアログを表示する

タイムラインのクリップに、フィルターの「3-Way カラーコレクション」を設定します。続いて、「インフォメーション」パレットでフィルター名の「3-Way カラーコレクション」を選択して**1**「設定」ボタンをクリックするか**2**、名前をダブルクリックします。

2 「制限範囲」を選択する

「3-Way カラーコレクション」の設定ダイアログが表示されたら、「効果範囲」の「Hue」をチェックしてオンにし**1**、「カラーピッカー」の「制限範囲」をオンにします**2**。

> **CHECK!**
>
> **効果範囲の調整**
> 「効果範囲」は各欄に値を直接入力するか、三角形のスライダー、格子、斜線部分をドラッグして設定します。

3 色補正を実行する

「効果範囲の制限」で補正を適用する範囲を決め**1**、各カラーホイールのポイントをドラッグして色を調整します**2**。補正が終了したら、「OK」をクリックします。

SECTION 07 カラーバランスで色補正する

CHAPTER 06 ▶ エフェクト

ビデオデータは複数の方法で色補正ができます。ここで解説するカラーコレクションのフィルター「カラーバランス」を利用すると、好みのカラータイプの映像を作成できます。

▶ 使い勝手のよいカラー補正ツール

カラーコレクションのフィルター「カラーバランス」を利用すると、彩度、輝度、コントラスト、色相をスライダーで調整しながら、色補正ができます。カラー補正用のツールとしては、基本的なツールといえます。

▲カラーコレクションのフィルター「カラーバランス」のアイコン。

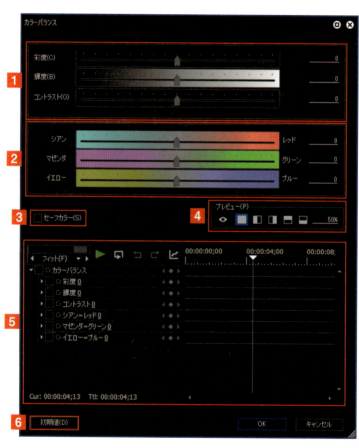

① **彩度、輝度、コントラスト** スライダーをドラッグして彩度、輝度、コントラストを調整します。数値をダイレクトに入力することでも調整できます。

② **シアン、マゼンダ、イエロー** スライダーをドラッグして色相を調整します。数値をダイレクトに入力することでも調整できます。

③ **セーフカラー** チェックを入れると、映像信号がYUV色空間からはずれないように自動で調整します。

④ **プレビュー設定** カラーコレクションを適用した画像と元の画像を比較するためのオプションが用意されています。

A：効果のオン/オフを切り替えます。
B：効果の比較をするプレビュー画面の分割方法を選択します。
C：プレビュー画面にフィルターを適用した映像を表示する割合を設定します。

⑤ **キーフレーム設定** パラメータの変化をアニメーションさせます。
⑥ **初期値** 関連するパラメータを初期の設定値に戻します。

▶「カラーバランス」でセピアカラーを作成する

「カラーバランス」を利用すると、たとえばセピア調の映像などを作成できます。

1 設定ダイアログを表示する

タイムラインのクリップに、フィルターの「カラーバランス」を設定します。続いて、「インフォメーション」パレットで、フィルター名の「カラーバランス」を選択して■「設定」ボタンをクリックするか■、名前をダブルクリックします。

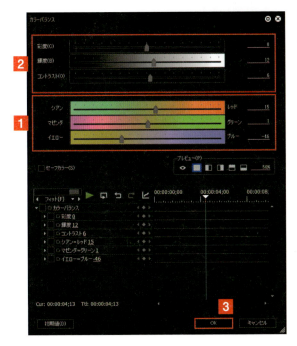

2 色補正を実行する

「カラーバランス」の設定ダイアログが表示されたら、「色相」で色を設定し■、彩度、輝度、コントラストを調整して■、希望の色を設定します。設定後、「OK」ボタンをクリックします■。

SECTION 08 カラーホイールでカラー補正する

CHAPTER 06 ▶ エフェクト

EDIUS Proには色補正用のフィルターがいろいろ用意されています。「カラーホイール」はオリジナルのカラー映像を作るときに便利なフィルターです。

▶「カラーホイール」について

「カラーホイール」は色味を2次元的に表現して調整できるエフェクトです。ポイントを移動させることで彩度の調整、ホイールを回転させることで色調の調整ができます。別オプションで輝度とコントラストの調整も可能で、画面全体の色補正に活用できます。「初期値」をクリックすると、デフォルトの設定に戻すことができます。

▲カラーコレクションのフィルター「カラーホイール」のアイコン。

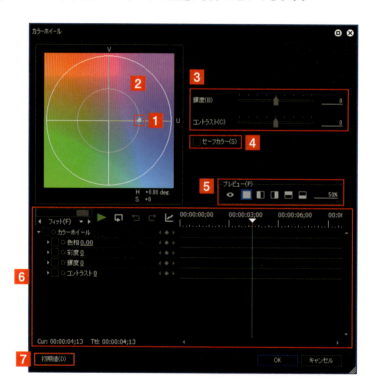

1 **カラーホイールポイント** スライドさせて彩度を調整します。円の外側ほど彩度が上がります。

2 **ホイール** ドラッグして回転させ、色調を調整します。

3 **輝度／コントラスト** スライダーを移動させて、輝度とコントラストを調整します。

4 **セーフカラー** チェックを入れると、映像信号がYUV色空間からはずれないよう、自動で調整します。

5 **プレビュー設定** カラーコレクションを適用した画像と元の画像を比較するためのオプションが用意されています。

A：効果のオン／オフを切り替えます。
B：効果の比較をするプレビュー画面の分割方法を選択します。
C：プレビュー画面にフィルターを適用した映像を表示する割合を設定します。

6 **キーフレーム設定** カラーホイールの変化をアニメーションさせます。

7 **初期値** 関連するパラメータを初期の設定値に戻します。

▶「カラーホイール」で映像を作る

「カラーホイール」では、いわゆるホワイトバランス調整のほか、好みの映像を作るカラーグレーディングも可能です。

▲カラーグレーディング前。

▲カラーグレーディング後。

1 設定ダイアログを表示する

タイムラインのクリップに、フィルターの「カラーホイール」を設定します。続いて、「インフォメーション」パレットでフィルター名の「カラーホイール」を選択して■「設定」ボタンをクリックするか■、名前をダブルクリックします。

2 カラーグレーディングする

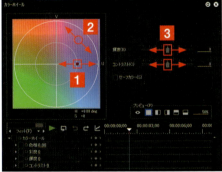

「カラーホイール」の設定ダイアログが表示されたら、カラーホイールポイントをドラッグして彩度を調整し■、ホイールをドラッグで回転させて色調を調整します■。必要があれば、「輝度」と「コントラスト」を調整します■。調整が完了したら、「OK」ボタンをクリックします。

SECTION 09　モノトーンを利用する

CHAPTER 06 ▶ エフェクト

「モノトーン」は手軽にモノクロ映像を作りたいときに便利なフィルターです。モノクロだけでなく、セピアカラーなど単色系の映像を作る場合にも最適です。

▶「モノトーン」について

フィルターの「モノトーン」をクリップに設定するだけで、モノクロ映像を作成できます。詳細設定画面で色味のUとVのレベルを調節して、色調を補正することもできます。

▲カラーコレクションのフィルター「モノトーン」のアイコン。

❶ U／Vスライダー　U（輝度と青信号の差）とV（輝度と赤信号の差）の値を変更するスライダーです。
❷ キーフレーム設定　カラーホイールの変化をアニメーションさせます。

POINT

色差信号とUV

「UV」とは、映像データをデジタルデータとして利用するフォーマットの一種「YUV」のUVを指す言葉です。光の情報は「R、G、B」という色信号で処理されます。しかし、RGBではファイルのサイズが大きくなってしまうため、これを「輝度信号」（Y）と「色信号」（UV）とに分けて処理するフォーマット「YUV」を利用することで、効率よく処理することができます。
またYUVの色信号は、さらにRGBの色信号「B」から輝度信号（Y）を引いた「青色差信号」（B-Y）と、赤色信号「R」から輝度信号を引いた「赤色差信号」（R-Y）とに分けられます。このうちの青色差信号が「U」、赤色差信号が「V」です。なお、「G」の色差信号（G-Y）はUとVのベクトル合成で得られるため、色情報としては必要ありません。

▶ モノトーンで映像を作る

ここではフィルターの「モノトーン」を利用して、単色系の映像を作成する手順を解説します。

▲モノトーンの設定前。

▲モノトーンの設定後。

1 「モノトーン」を適用する

タイムラインのクリップにフィルターの「モノトーン」を設定すると、すぐに結果が反映されます。

2 設定ダイアログを表示する

「インフォメーション」パレットで、フィルター名の「モノトーン」を選択して**1**「設定」ボタンをクリックするか**2**、名前をダブルクリックします。

3 UVパラメーターを調整する

「モノトーン」の設定ダイアログが表示されたら、オプションのU／Vのスライダーを調整して**1**、色合いを変更します。「OK」ボタンをクリックすると**2**、調整が反映されます。

SECTION CHAPTER 06 ▶ エフェクト

10 特定の色だけを残す クロミナンスを設定する

「画像中から特定の色だけを残したい」といった絵作りをしたい場合、かんたんに特定の色だけを残せるフィルターが「クロミナンス」です。

▶「クロミナンス」について

カテゴリーの「ビデオフィルター」にある「クロミナンス」は、特定の色をキーカラーとして指定することで、その色の内側や外側、境界領域の画像に独立したフィルターを設定できるエフェクトです。

▶ビデオフィルターのフィルター「クロミナンス」のアイコン。

1 **キーカラー選択** キーカラーを選択する方法を選ぶボタンが備えられています。上から「カラーピッカー」「楕円選択モード」「扇選択モード」「矩形（くけい）選択モード」があります。
2 **プレビュー画面** キーカラーを選択するためのプレビュー画面です。
3 **詳細設定** エフェクト、キーカラー、色／輝度などについて、詳細に設定する領域です。

▶ 特定の色だけを残す

ビデオフィルターの「クロミナンス」を利用すると、映像の中から特定の色を指定してその色だけを残し、ほかはモノクロに設定することができます。

▲クロミナンスの設定前。

▲クロミナンスの設定後。

1 設定ダイアログを表示する

タイムラインのクリップに、ビデオフィルターの「クロミナンス」を設定します。続いて、「インフォメーション」パレットで、フィルター名の「クロミナンス」を選択して**1**「設定」ボタンをクリックするか**2**、名前をダブルクリックします。

2 キーカラーをピックする

「クロミナンス」の設定ダイアログで「キーカラー選択」の「カラーピッカー」**1**を選択し、プレビューウィンドウ上で残したい基準となる色をクリックします**2**。

3 「外側フィルター」を設定する

詳細設定にある「外側フィルター」テキストボックス右にある「▼」をクリックし**1**、表示されたメニューの「モノトーン」を選択します**2**。

4 結果が反映される

EDIUS Pro のプレビュー画面に、クロミナンスが反映した状態の映像が表示されます。

5 キーを表示する

設定ダイアログの「キー表示」のチェックボックスをオンにすると、残した色のマスクが EDIUS Pro のプレビュー画面に表示されます。

6 レンジを調整する

設定ダイアログの「色/輝度」タブをクリックし■、オプションの「色」にある「レンジ」のスライダーをドラッグすると■、キーとして設定した色の許容範囲を調整できます。設定後、「OK」ボタンをクリックします。

▶ 特定の色を変更する

「クロミナンス」を利用すると、特定の色を別の色に変更することも可能です。

▲クロミナンスの設定前。

▲クロミナンスの設定後。

1 キーカラーをピックする

「クロミナンス」の設定ダイアログを表示し、「カラーピッカー」を選択して**1**、プレビューウィンドウ上で変更したい基準となる色をクリックします**2**。

2 エフェクトを「内側フレーム」に設定する

「エフェクト」タブにある「内側フィルター」**1**に表示されている項目をクリックし、表示されたメニューから「カラーバランス」**2**を選択します。

3 カラーバランスを調整する

「内側フィルター」に「カラーバランス」と表示されるので、その右にある「設定」ボタンをクリックします。カラーバランスの設定ダイアログでカラーを調整し**1**、「OK」ボタンをクリックします**2**。

SECTION | CHAPTER 06 ▶ エフェクト

11 エフェクト効果を アニメーションする

EDIUS Proのエフェクトは、「キーフレーム設定」を利用することでアニメーションさせることができます。ここでは、カラー→モノクロ→カラーと色調を変化させるアニメーションを作成します。

▶「キーフレーム設定」を利用する

エフェクトの設定ダイアログに「キーフレーム設定」という項目がある場合、エフェクトをアニメーションさせることができます。ここでは、フィルターの「カラーバランス」のオプション「彩度」を利用して、「カラー→モノクロ→カラー」という順で映像が変化するアニメーション作成します。

 ▶  ▶

1 設定ダイアログを表示する

タイムラインでフィルターを設定したクリップを選択し、「インフォメーション」パレットで設定したフィルター名をダブルクリックして、設定ダイアログを表示します。ここでは「カラーバランス」の設定ダイアログ（P.186参照）を表示させています。

2 カーソルを左端に合わせる

「カラーバランス」の設定ダイアログが表示されたら、タイムラインカーソルをタイムラインスケールの左端に合わせます。

196

3 アニメーションを有効にしてキーフレームを設定する

「彩度」のアニメーションのチェックボックスをオンにします1。「キーフレーム設定」にある◆のキーフレーム追加ボタンをクリックすると2、キーフレームが設定されます3。

4 彩度を調整する（1）

タイムラインカーソルを移動し1、キーフレームの追加ボタンをクリックして2、キーフレームを設定します3。続いて「彩度」のスライダーをドラッグして4、彩度を調整します。

▶調整の結果。

5 彩度を調整する（2）

さらにタイムラインカーソルを移動し1、キーフレームの追加ボタンをクリックして2、キーフレームを設定します3。続いて「彩度」のスライダーをドラッグして4、彩度を調整します。

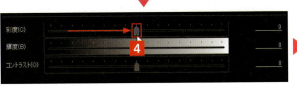

▶調整の結果。

6 再生して確認する

設定画面でタイムラインカーソルを左端に移動し、「再生」ボタンをクリックして、アニメーションを確認します。

SECTION
CHAPTER 06 ▶ エフェクト

12 「レイアウター」でクロップする

ビデオ映像のフレームに対して、必要な部分だけを切り出す作業を「クロップ」といいます。EDIUS Proでは「レイアウター」を利用してクロップを実行します。

▶「レイアウター」ダイアログについて

タイムラインに配置したクリップのフレームをトリミングしたり、回転させたりするための機能が「レイアウター」ダイアログです。これまで解説したフィルターと違い、「レイアウター」はクリップの「インフォメーション」パレットに最初から配置されています。

1「**クロップ**」**タブ** クロッププレビューを表示します。
2「**トランスフォーム**」**タブ** レイアウトプレビューを表示します。
3**モードボタン** モードを切り替えます。
4**ツールボタン** 画面を操作するための各種ツールボタンを備えています。
5「**パラメーター**」**タブ** クロップ、トランスフォームの編集を行います。
6「**プリセット**」**タブ** 編集したレイアウトを保存し、プリセットとして利用できるようになります。

7**表示切り替え** パラメーターの％表示／ピクセル表示を切り替えます。
8**キーフレーム用タイムライン** パラメーターの変化をアニメーションさせます。
9**規定値として保存** 現在の設定を規定値として保存します。
10**初期化** 関連するパラメーターを初期設定値に戻します。

▶ フレームをクロップする

ビデオ編集では、フレームをトリミングして任意の範囲を表示させることを「クロップ」といいます。ここでは、「レイアウター」ダイアログを利用してフレームをクロップしてみましょう。クロップを利用すると、画面のようなフレームが作成できます。

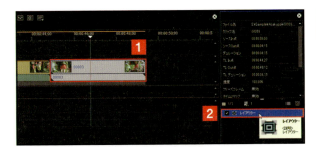

1 「レイアウター」を ダブルクリックする

タイムラインに配置したクリップからクロップしたいクリップを選択し①、「インフォメーション」パレットにある「レイアウター」をダブルクリックします②。

2 「クロップ」タブで クロップする

詳細ダイアログの「クロップ」タブをクリックし①、クロップの設定画面を表示します。ここの「素材のクロップ」のスライダーをドラッグするか②、クロッププレビューのハンドル「□」をドラッグして③、クロップを実行します。クロップが完了したら、「OK」ボタンをクリックします。

▲クロップ前。

▲クロップ後。

▲クロップ前。　　　　　　　　　　　　　　▲クロップ後。

3 表示位置を変更する

クロップが終了したら、クロッププレビューで選択枠をドラッグし、選択位置を修正すると、表示位置を変更できます。

SECTION 13 トランスフォームで表示位置を変更する

CHAPTER 06 ▶ エフェクト

「レイアウター」ダイアログの「トランスフォーム」タブでは、フレームの表示位置の変更や、拡大・縮小によるフレームサイズの調整が可能です。

▶ トランスフォームでレイアウトする

複数のトラックに配置したクリップに、「レイアウター」によってそれぞれをクロップします。同じく「レイアウター」を利用して、複数のクリップを配置してレイアウトすることができます。

1 クロップを実行する

複数のトラックにクリップを配置し、それぞれのクリップをクロップします(P.199参照)。

それぞれのクリップをクロップする。

2 トラックを非表示にする

クリップが重なっている場合❶、ビデオトラックのトラックヘッダーにある「ビデオのミュート」ボタンをクリックすると❷、トラックの表示をオン／オフできます❸。これで作業がしやすくなります❹。

「ビデオのミュート」ボタンをオフにしたトラックのクリップは表示されない。

3 クロップしたクリップのサイズを調整する

設定ダイアログで「トランスフォーム」タブをクリックし①、詳細設定のスライダーをドラッグして②、オプションの「ストレッチ」を表示します。ここで、パラメータ「X：」「Y：」の数値を変更すると③、トランスフォームプレビューの表示サイズが拡大／縮小されます。トランスフォームプレビューで、クリップのハンドルをドラッグすることでも④拡大／縮小できます。

4 表示位置を変更する

トランスフォームプレビューでクリップにマウスを合わせ、そのままドラッグして表示位置を変更します。

5 「OK」ボタンをクリックする

クリップの表示位置を変更したら、「OK」ボタンをクリックします。

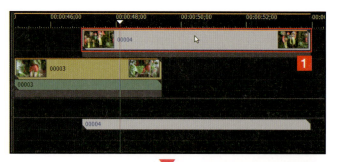

6 別のクリップを操作する

非表示にしたクリップを再表示させて、同じようにサイズや表示位置を調整します。タイムスケールでクリップを選択し**1**、設定ダイアログの「トランスフォーム」タブを表示させて**2**、「ストレッチ」でサイズを調整し**3**、表示位置を変更します**4**。

SECTION CHAPTER 06 ▶ エフェクト

14 トランスフォームで傾きを修正する

ビデオカメラを手持ちで撮影すると、被写体が傾いてしまう場合があります。そのようにして生じた傾きは「レイアウター」ダイアログの「トランスフォーム」タブで修正することができます。

▶「レイアウター」で傾きを補正する手順

手持ち撮影でよくある失敗が「映像の傾き」です。この失敗は「レイアウター」の「スケール」と「回転」を利用して修正できます。

「レイアウター」の「トランスフォーム」1を選択し、「パラメータ」の「回転」2の数値を調整して3、クリップを回転させます4。

▲「レイアウター」で映像を「回転」させる。

▲5 映像を回転させたことで、余分な余白が発生する。

▲6 映像を拡大することで余白を消す。

▶ クリップを回転させる

ここでは傾きを修正したいクリップをトラックに配置し、このクリップの「レイアウター」を利用して傾きを修正します。

▲傾きの修正前。

▲傾きの修正後。

1 「レイアウター」ダイアログを表示する

タイムラインに配置したクリップを選択し、「インフォメーション」パレットの「レイアウター」をダブルクリックして「レイアウター」ダイアログを表示します。

2 「回転」を設定する

詳細設定のスライダーをドラッグして1、オプションの「回転」を表示します2。レイアウタープレビュー3とプレビューウィンドウ4で確認しながら、パラメータの数値を調整し5、角度を変更します。

▶「ストレッチ」を調整する

回転を実行すると、四隅に余白が発生することがあります。クリップを拡大することで、この無駄な余白が表示されないようにします。

1 ストレッチを調整する

詳細設定のスライダーをドラッグして、オプションの「ストレッチ」を表示させ **1**、X と Y のパラメータを変更します **2**。これで、周囲に表示されている余分な余白（黒い余白）を表示しないように調整します。

2 結果を確認する

プレビュー画面で、余白を修正した結果を確認します。

SECTION CHAPTER 06 ▶ エフェクト

15 ビデオレイアウト機能でピクチャー・イン・ピクチャーする

大きい画面の中に小さな別画面がある「ピクチャー・イン・ピクチャー」は、「レイアウター」ダイアログを利用するとかんたんに作成できます。

▶ ピクチャー・イン・ピクチャーを「レイアウター」で作成する

「ピクチャー・イン・ピクチャー」は、メインとなる大きい画面の上に小さい画面を表示する合成方法です。ここでは便宜上、大きい画面を「親画面」、小さい画面を「子画面」と呼びます。

子画面（小さい画面）　親画面（大きい画面）

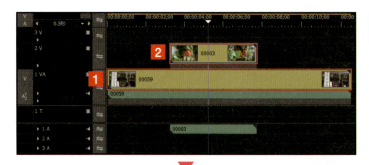

1 クリップを配置する

タイムラインでは、親画面用のクリップを「1VA」トラックに配置し①、子画面用のクリップは親画面より上の「2V」トラックに配置します②。このとき、プレビュー画面には子画面用のクリップが表示されます。

2 「レイアウター」ダイアログを表示する

2Vトラックに配置した子画面用のクリップを選択し、「インフォメーション」パレットで「レイアウター」をダブルクリックして、「レイアウター」ダイアログを表示します。

3 「ストレッチ」で画面を縮小する

「レイアウター」ダイアログの「トランスフォーム」タブでオプションの「ストレッチ」を表示させ、子画面のサイズを40％など小さな画面サイズに縮小します **1**。トランスフォームプレビュー画面には、縮小された子画面が表示されます **2**。

4 位置を調整する

「レイアウター」ダイアログのトランスフォームプレビューで子画面を選択し **1**、表示させる位置へドラッグします **2**。

CHECK!

ドロップシャドウを設定

詳細設定パネルにある「ドロップシャドウ」を有効にして **1**、色を設定すると **2**、子画面の背景に影が付いて見やすくなります。

SECTION 16 3Dモードでレイアウトする

CHAPTER 06 ▶ エフェクト

「レイアウター」ダイアログでは2D（2次元）での移動や回転のほかに、3D（3次元）での移動や回転も可能です。ここでは、3Dでの回転について解説します。

▶ 3Dでの回転でレイアウト

2Dでの回転は、X軸方向とY軸方向での回転ですが、3DではZ軸方向の回転が加わります。これによって、奥行きのあるレイアウトを作成できます。

1 トラックにクリップを配置する

トラックにクリップを配置し、3D回転させたいクリップを選択します。

2 「レイアウター」ダイアログを表示する

選択したクリップの「インフォメーション」パレットから、「レイアウト」をダブルクリックして「レイアウター」ダイアログを表示します。

3 3Dモードに切り替える

「レイアウター」ダイアログで「3Dモード」ボタンをクリックして、3Dモードに切り替えます。

4 3Dの回転を設定する

詳細設定のオプション「回転」にある「X軸」「Y軸」「Z軸」で、それぞれの回転角度のパラメータを設定します。ここではY軸を回転させていますが、2Dモードと異なり、奥行きのある回転が設定されます。

5 「OK」ボタンをクリックする

プレビュー画面で回転を確認して、「レイアウター」ダイアログの「OK」ボタンをクリックします。

SECTION 17

CHAPTER 06 ▶ エフェクト

マスクフィルターでトラッキングを実行する

「マスクフィルター」を利用すると、特定の範囲だけをトリミングして、選択した範囲の内側、外側に対して、さまざまなエフェクトが設定できます。

▶「マスクフィルター」について

「マスクフィルター」を利用すると、任意の範囲の内側と外側にそれぞれ個別のビデオフィルターを設定できます。キーフレームを利用すると、マスク位置を映像に合わせて動かすこともできます。

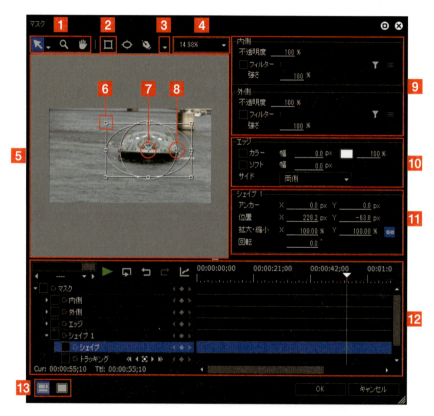

1 ツールボタン 「選択」ツールや「拡大・縮小」ツールなどのツールボタンが配置されています。

2「矩形作成」ツール マウスでドラッグすると、矩形（くけい）でマスク範囲を設定できます。

3 編集メニュー メニューを表示して、選択したパスに対してカット、コピー、ペースト、削除などができます。「トラッキング」やマスクの適用などの「機能」も選択できます。

4 拡大率 メニューからプレビューの拡大率を選択できます。

5 プレビュー 編集内容のプレビューを表示できます。

6 ストレッチハンドル 選択範囲（パス）の拡大／縮小ができます。

7 アンカー 選択範囲の基準点を示しています。

8 回転ハンドル 選択範囲を回転できます。

9 内側／外側 パスの内側と外側にそれぞれビデオフィルターを設定できます。

10 エッジ パスにカラーやぼかしを設定します。

11 シェイプ 選択したパスに対しての表示位置や拡大／縮小ができます。

12 キーフレーム用タイムライン キーフレームによってパスを移動できます。

13 ウィンドウレイアウト 「マスク」ダイアログの表示方法を選択できます。

▶ トラッキングで対象をモザイク表示にする

「マスク」機能を利用すると、動きのあるものに対してマスクを設定することができます。

1 「マスク」を設定する

「エフェクト」パネルで「エフェクト」→「ビデオフィルター」を選択し、タイムラインに配置したクリップへ、ビデオエフェクトの「マスク」①をドラッグ＆ドロップで設定します②。

2 「マスク」ダイアログを表示する

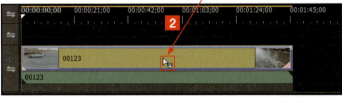

「インフォメーション」パレットで設定した「マスク」をダブルクリックするか「詳細」ボタンをクリックし、「マスク」ダイアログを表示します。なお、メニューから「拡大率」を表示すると、プレビュー画面の表示をズーム操作できます。

3 トラック範囲（パス）を設定する

ダイアログボックスのタイムラインでタイムラインカーソルをドラッグして①、対象を範囲指定しやすいフレームを選びます。「楕円作成」ボタンをクリックし②、トラッキングしたい範囲をドラッグして矩形範囲で指定して、四角枠のパスを設定します③。

4 内側のフィルターをオンにする

ここでは、設定したパスに対してモザイクを設定したいので、パスの「内側」にビデオエフェクトの「モザイク」を設定します。設定パネルの「内側」にある「フィルター」のチェックボックスをオンにし **1**、「フィルター選択」ボタンをクリックします **2**。

CHECK!

拡大率を変更する

「拡大率」を変更すると、パスを設定する際に作業がしやすくなります。

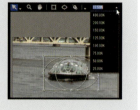

5 「モザイク」を選択する

「フィルター選択」ダイアログが表示されるので、カテゴリーの「ビデオフィルター」 **1** →「モザイク」 **2** を選択して、「OK」ボタンをクリックします **3**。

6 「モザイク」のパラメータを調整する

内側に設定したエフェクト「モザイク」のパラメータを調整したい場合は、「フィルター設定」ボタンをクリックしてモザイクの設定ダイアログを表示し、モザイクのパラメータを変更して「OK」ボタンをクリックします。調整の状態はEDIUS Pro のプレビュー画面で確認できます。

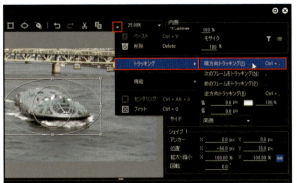

7 トラッキングを実行する

エフェクトを設定したら、機能メニューを表示して「トラッキング」→「順方向トラッキング」を選択し、トラッキングを実行します。

◀トラッキングを実行する。

▲トラッキングが完了。

8 逆方向へのトラッキングを実行する

トラッキングを動きのあるクリップの途中から実行した場合は、トラッキングを開始した位置のキーフレームに戻り、「トラッキング」→「逆方向トラッキング」を選択します。

9 「OK」ボタンをクリックする

トラッキングが終了したら、「OK」ボタンをクリックします。なお、「OK」をクリックする前であれば、トラッキングの範囲はプレビュー画面上でドラッグして変更できます。

SECTION 18　クロマキーで合成する

CHAPTER 06 ▶ エフェクト

2つの映像を重ねて合成する場合、エフェクトを利用するとどのように合成するのかを選択して実行できます。たとえば、特定の色を透過して合成する場合は「クロマキー」で合成します。

▶「クロマキー」ダイアログについて

「クロマキー」は特定の色を透明にして、別の映像と合成する処理です。一般的には、「ブルーバック合成」や「グリーンバック合成」と呼ばれている合成方法です。

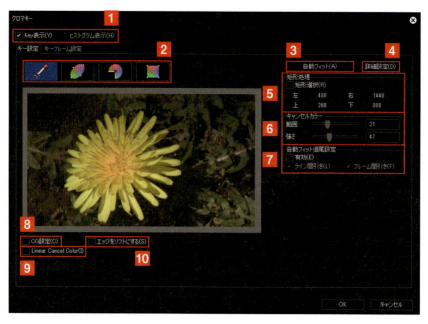

1 **表示切り替え**　キー表示とヒストグラム表示を切り替えます。
2 **色選択モード**　色を選択する方法を選ぶことができます。
3 **自動フィット**　選択したキーカラーに最適なキー設定を自動で行います。
4 **詳細設定**　詳細なキー設定ができます。
5 **矩形処理**　任意の範囲にのみクロマキーを適用します。
6 **キャンセルカラー**　キーカラーとその他の色が接する部分に、キーカラーと反対色を入れることで、合成画像をより自然にします。
7 **自動フィット追尾設定**　「有効」を選択すると、キーカラーの変化を自動的に補正します。
8 **CG設定**　CG素材を合成する場合のオプションで、CG用のパラメータに設定されます。
9 **Linear Cancel Color**　ブルーバックやグリーンバックの染み出し、照り返しなどによる変色が改善されることがあります。
10 **エッジをソフトにする**　背景となる映像と上に重なる映像の境界をぼかします。

▶ 2つの映像をクロマキー合成する

2つの映像を別々のトラックに配置し、それぞれの映像を「クロマキー」で合成するには、以下のように操作します。

1 クリップを配置する

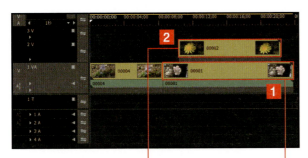

タイムラインのトラックに、合成したいクリップを配置します。その際、「クロマキー」を設定したいクリップは、メインのフリップより上のトラックに配置します。ここでは、メインの映像を1VAトラックに配置し**1**、「クロマキー」を設定するクリップを2Vトラックに配置しています**2**。

▲クロマキーを設定するフリップ。

▲メインのフリップ。

2 ミキサー部に「クロマキー」を設定する

2Vトラックに配置したクリップのミキサー部に、キーの「クロマキー」を設定します。「エフェクト」パネルから「エフェクト」→「キー」を選択して**1**、一覧にある「クロマキー」を選択し**2**、目的のクリップのミキサー部にドラッグ＆ドロップします**3**。

▲プレビュー画面には、クロマキー合成状態で表示されます。

215

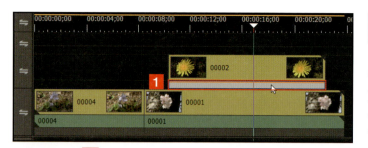

3 「クロマキー」ダイアログを表示する

ミキサー部に配置したフィルターを選択し **1**、「インフォメーション」パレットで「クロマキー」をダブルクリックするか **2**、「詳細」ボタンをクリックして、「クロマキー」ダイアログを表示します。

4 キーカラーを指定する

透明化したい色、すなわち「キーカラー」を指定します。スポイト型のカラーピッカーを選択し **1**、透明化したい色の部分でクリックします **2**。これで、デフォルトの設定で合成されている状態から、選択した色がキーカラーとなって透明化されます。

5 「Key表示」でマスクを表示する

ダイアログにある「Key表示」で「マスク」状態を確認できます。

6 「詳細設定」で調整する

「Key表示」をオン／オフしながら、「詳細設定」の「ベース」などで輪郭などをきれいに調整します。設定が完了したら、「OK」ボタンをクリックします。

7 「レイアウター」で調整する

クリップ自体の表示位置やサイズ等を変更したい場合は、タイムラインに配置したクリップの映像部分をクリックし、クリップの「レイアウター」を利用して調整します。

SECTION 19 フォトムービーを作成する

CHAPTER 06 ▶ エフェクト

写真などの静止画像を利用してフォトムービーを作成する場合、レイアウターを利用すると、静止画像に動きを付けることができます。

▶「レイアウター」で動きを付ける

EDIUS Pro に取り込んだ写真などの静止画像は、5秒のデュレーションのムービークリップとして取り込まれます。もちろん、動きはありません。この動きのないクリップに、「レイアウター」を利用して動きを設定します。写真に動きを付加するには、以下のような作業を行います。

●ピラーボックスの削除

写真データはアスペクト比が 16:9 ではないため、フレームの左右に黒い帯の「ピラーボックス」が表示されます。このピラーボックスは「レイアウター」の「ストレッチ」で削除します。

▲ピラーボックスあり。

▲ピラーボックスなし。

●ズームのアニメーションを設定

写真にズームイン／ズームアウトのアニメーションを設定することで、動きを表現します。

▲通常の表示。

▲ズームインで表示する。

●パンの設定

画面を右から左、または左から右へ動かす「パン」をアニメーションで設定することで、写真の動きを表現します。なお、上から下、または下から上へ画面を動かす方法を「ティルト」といいます。

▲通常の表示。

▲パンで左から右へ動かす。

▶ プロジェクトの設定

フォトムービーを作成する場合、最初にプロジェクトを設定します。このとき、「作成したフォトムービーをどのような形で利用するのか？」が重要です。ムービーと同じでWebサイトで公開したり、DVDビデオを作成したりするのであれば、フルハイビジョンと同じプロジェクトプリセットを利用するのが一般的です。

▶フルハイビジョンと同じプロジェクトプリセットを利用する。

▶ ピラーボックスを削除する

写真データをプロジェクトに配置すると、ビデオデータとフレームのアスペクト比が異なるため、ピラーボックスと呼ばれる黒い帯が左右に表示されます。このピラーボックスが表示されないようにするには、「レイアウター」の「ストレッチ」でクリップを拡大します。

1 クリップを配置する

写真データをトラックに配置します。写真データには音声部がないので、1VAトラックを削除し、Vトラックに配置しています。

2 「レイアウター」ダイアログを表示する

タイムラインに配置したクリップを選択し**1**、「インフォメーション」パレットで「レイアウター」の名前をダブルクリックするか**2**、「詳細」ボタンをクリックして、「レイアウター」ダイアログを表示します。

3 「ストレッチ」で拡大する

「レイアウター」の「ストレッチ」を利用して、ピラーボックスが表示されない状態まで拡大します。

●「レイアウター」の設定をコピーする

1つのクリップで設定した「レイアウター」の設定を、ほかのクリップにコピーします。その際、写真には横位置と縦位置があるので、縦位置クリップの「レイアウター」は縦位置写真に、横位置クリップで設定した「レイアウター」は横位置のクリップにコピーします。

1 レイアウターをドラッグ&ドロップする

スケールを設定したクリップを選択し １、その「レイアウター」を「インフォメーション」パレットで選択します ２。選択した「レイアウター」をほかのクリップ上にドラッグ&ドロップすると ３、「レイアウター」がコピーされます。

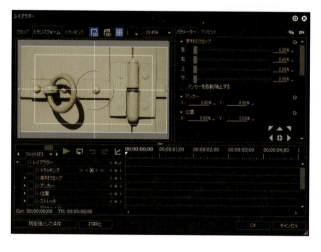

2 設定を確認する

コピー先のクリップを選択し、「レイアウター」ダイアログを表示します。ここでスケールの設定などを確認します。

▶ ズームのアニメーションを設定する

ピラーボックスを表示しないように設定したクリップに、ズームインする動きを設定します。

1 「レイアウター」を表示する

ズームインしたいクリップを選択し、「レイアウター」ダイアログを表示します。

2 開始キーフレームを設定する

「キーフレーム用タイムライン」でタイムラインカーソルを左端に移動します①。ここで「ストレッチ」の「有効／無効」のチェックボックスをオンにして②、「キーフレームを追加／削除」ボタンをクリックし③、キーフレームを設定します④。

3 タイムラインカーソルを右端に移動する

タイムラインカーソルをタイムラインの右端にドラッグして合わせます。

4 ストレッチする

オプションの「ストレッチ」のパラメータを調整し①、プレビュー画面で確認しながら②、XとYの数値を設定します。必要であれば「位置」のパラメータも調整します。調整が完了したら、「OK」ボタンをクリックします③。

▶ 縦位置写真は回転が必要

縦位置写真の場合、Windows のシステム機能によって縦位置写真が回転した状態で取り込まれます。しかし、場合によっては横に倒れたままのこともあります。このような場合は、写真を回転させる必要があります。回転は「レイアウター」で操作します。

1 「レイアウター」ダイアログを表示する

回転させたい写真のクリップを選択し、「レイアウター」ダイアログを表示します。

2 写真を回転させる

オプションの「回転」のパラメータを調整して、写真が縦位置になるように回転させます。

3 スケールでピラーボックスを消す

縦位置写真でピラーボックスがあっても、スケール調整は不要な場合もあります。写真の内容に応じて対応しましょう。

4 パンの開始位置を表示する

ここから、左右に移動する「パン」や上下に移動する「ティルト」をアニメーションで実行するための設定をします。「レイアウター」ダイアログの「トランスフォーム」タブにあるレイアウトプレビューで、円形のアンカーをドラッグして、動きを開始する位置でフレームを表示します。

5 開始位置のキーフレームを設定する

アニメーションを開始する位置を表示したら、その位置にキーフレームを設定します。タイムラインカーソルを左端に移動し1、「位置」の「有効／無効」をチェックします2。この位置で「キーフレーム設定」をクリックして3、キーフレームを追加します4。

6 終了位置のキーフレームを設定する

タイムラインカーソルを右端に移動し1、「トランスフォーム」タブにあるレイアウトプレビューで円形のアンカーをドラッグして、終了位置の表示を決めます2。このとき、自動的にキーフレームが設定されます3。設定が完了したら、「OK」ボタンをクリックします4。

7 動きを確認する

「レイアウター」ダイアログの「再生」ボタンをクリックし、EDIUS Pro のプレビュー画面でアニメーションを確認します。

CHECK!

スマホの写真・映像データに利用
ここで紹介した「回転」は、たとえばスマートフォンで撮影した縦位置の写真や動画データを EDIUS Pro に取り込んで編集する際にも利用できます。

CHAPTER 07

THE PERFECT GUIDE FOR EDIUS Pro

[マーカー]

SECTION 01　2種類のマーカーについて

CHAPTER 07 ▶ マーカー

EDIUS Proの「マーカー」はビデオ編集の「メモ」といえます。素材のクリップに設定する「クリップマーカー」と、タイムラインに設定する「シーケンスマーカー」の2種類があります。

▶ クリップマーカーとシーケンスマーカー

EDIUS Pro には 2 種類のマーカーがあります。1 つは素材自体に設定する「クリップマーカー」、もう 1 つはタイムラインに配置する「シーケンスマーカー」です。

クリップマーカー

▲クリップマーカーは素材に設定する。

シーケンスマーカー

▲シーケンスマーカーはタイムラインに配置する。

POINT

シーケンスマーカーとチャプターマーカー
「DVD ／ BD へ出力」を利用して DVD ビデオや Blu-ray Disc を作成する場合、シーケンスマーカーはチャプターマーカーとして機能します。

▶ マーカーリスト

クリップやタイムラインに設定したマーカーは、それぞれのマーカーリストに一覧表示されます。クリップマーカーを一覧表示するのが「クリップマーカー」リスト、シーケンスマーカーを一覧表示するのが「シーケンスマーカー」リストです。

●「クリップマーカー」リスト

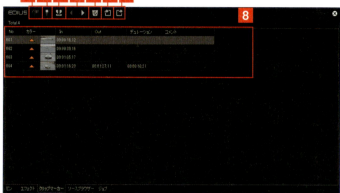

1 シーケンスマーカー／クリップマーカーの切り替え　「クリップマーカー」リストと「シーケンスマーカー」リストを切り替えます。
2 マーカーの追加　プレイヤーのスライダーの位置にクリップマーカーを追加します。
3 マーカーをIn／Out点間へ追加　プレイヤーのタイムラインに設定したIn点とOut点の間を、範囲付きのマーカーとして追加します。
4 前のマーカーへ移動／次のマーカーへ移動　前／次のクリップマーカーに移動します。
5 マーカーの削除　クリップマーカーリストからクリップマーカーを選んで削除します。
6 マーカーリストのインポート　クリップマーカーリストを読み込みます。
7 マーカーリストのエクスポート　クリップマーカーリストをCSVファイルとして書き出します。
8 クリップマーカーリスト　設定したクリップマーカーのタイムコードやコメントなどを表示します。

●「シーケンスマーカー」リスト

1 シーケンスマーカー／クリップマーカーの切り替え　「クリップマーカー」リストと「シーケンスマーカー」リストを切り替えます。
2 マーカーの追加　タイムラインのカーソルの位置にシーケンスマーカーを追加します。
3 マーカーをIn／Out点間へ追加　タイムラインに設定したIn点とOut点の間を、範囲付きのマーカーとして追加します。
4 前のマーカーへ移動／次のマーカーへ移動　前／次のシーケンスマーカーに移動します。
5 マーカーの削除　選択したシーケンスマーカーを削除します。
6 マーカーリストのインポート　シーケンスマーカーリストを読み込みます。
7 マーカーリストのエクスポート　シーケンスマーカーリストをCSVファイルとして書き出します。
8 アンカー　チェックをオフにすると、シンクロック設定時にシーケンスマーカーがタイムラインの編集と連動します。
9 シーケンスマーカーリスト　設定したシーケンスマーカーのタイムコードやコメントなどを表示します。

SECTION 02

CHAPTER 07 ▶ マーカー

クリップマーカーを設定する

「クリップマーカー」はEDIUS Proに取り込んだ素材自体に設定するマーカーです。ここではクリップマーカーの設定方法について解説します。

▶ 素材にマーカーを設定する

EDIUS Proに取り込んだ素材データに対してマーカーを設定するには、プレビューウィンドウを利用します。これがクリップマーカーになります。

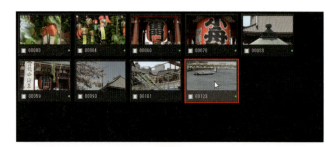

1 クリップを選択する

「ビン」ウィンドウに登録されているクリップをダブルクリックし、プレビューウィンドウに表示します。

2 「クリップマーカー」リストを表示する

クリップを選択すると、「クリップマーカー／シーケンスマーカー」タブが「クリップマーカー」タブに変化します。これをクリックして「クリップマーカー」パネルを表示します。

POINT

Myncとは非同期

クリップマーカーが設定できるのはEDIUS Proに取り込んだ素材のみです。つまり、「ビン」ウィンドウに登録されている素材に限ります。Myncなど「ソースブラウザー」ウィンドウで表示される素材に対しては、クリップマーカーを設定できません。

3 追加する位置を見つける

プレビューウィンドウで再生を実行したり、タイムラインカーソルをドラッグするなどして、マーカーを設定する位置を見つけます。

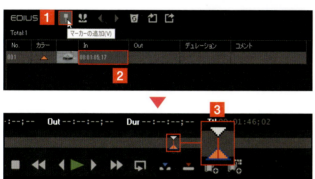

4 マーカーを追加する

「クリップマーカー」パネルにある「マーカーの追加」ボタンをクリックすると**1**、カーソル位置のタイムコードが登録されます**2**。同時に、プレビューウィンドウのタイムラインにも▲のマーカーが追加されます**3**。

5 マーカーを In ／ Out 点間へ追加する

タイムラインで In 点と Out 点を設定し**1**、「クリップマーカー」パネルの「マーカーを In ／ Out 点間に追加」ボタンをクリックすると**2**、In 点と Out 点のタイムコードが一覧に登録されます**3**。同時に、ラインの In 点と Out 点の間には、オレンジ色のラインが表示されます**4**。

SECTION 03 マーカーを移動する

CHAPTER 07 ▶ マーカー

素材やタイムラインに配置したマーカーは、ドラッグして位置を変更することができます。ここでは、マーカーの移動方法について解説します。

▶ マーカーをドラッグして移動する

素材やタイムラインに設定したマーカーは、Ctrl キーを押しながらドラッグすると位置を変更できます。

1 クリップマーカーを移動する

Ctrl キーを押しながらマーカーの△にマウスを合わせると、マウスの形が変わります。そのままドラッグすると 1 位置が変更されて 2、「クリップマーカー」パネルのタイムコード値が自動的に変化します。

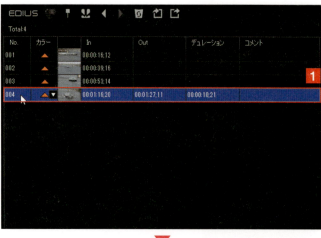

2 「In 点／ Out 点間」マーカーを選択する

「In 点／ Out 点間」マーカーの移動は、「クリップマーカー」パネルで移動したいマーカーをダブルクリックして選択します 1。これで、タイムラインの In 点と Out 点にマーカーの△が表示されます 2。

3 Ctrl キーを押しながらドラッグする

Ctrl キーを押しながらマーカーの△にマウスを合わせると、マウスの形が変わります。そのままドラッグして、In 点や Out 点を変更します。

SECTION 04 CHAPTER 07 ▶ マーカー

タイムラインにシーケンスマーカーを設定する

「シーケンスマーカー」はタイムラインに設定するマーカーです。ここでは、タイムラインにシーケンスマーカーを設定する方法について解説します。

▶ タイムラインにマーカーを設定する

シーケンスで編集中のプロジェクトにシーケンスマーカーを設定します。「シーケンスマーカー」はIn点のみ、またはIn点とOut点の間に設定できます。

1 シーケンスを表示する

マーカーを設定したいシーケンスを「タイムライン」パネルに表示します。

2 「シーケンスマーカー」リストを表示する

「シーケンスマーカー」タブをクリックし 1、「シーケンスマーカー」リストを表示します。「クリップマーカー」リストが表示されている場合は、操作ボタンの「シーケンスマーカー/クリップマーカーの切り替え」をクリックして 2、「シーケンスマーカー」リストを表示します。

3 追加する位置を見つける

タイムラインカーソルをドラッグして 1、プレビューウィンドウで確認しながら 2、マーカーを設定する位置を見つけます。

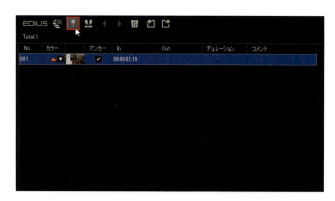

4 マーカーを追加する

「シーケンスマーカー」リストの「マーカーの追加」ボタンをクリックすると、カーソル位置のタイムコードが「In」に登録されます。

5 マーカーを In／Out 点間へ追加する

シーケンスのタイムラインに In 点と Out 点を設定し①、「シーケンスマーカー」リストの「マーカーを In／Out 点間へ追加」ボタンをクリックすると②、In 点と Out 点がリストに登録されます③。

CHECK!

マーカーの色を変更
「カラー」欄をクリックすると表示される「▽」をクリックすると、マーカーの色を選択して変更できます。

6 マーカーを確認する

手順 5 の操作が完了すると、タイムラインの In 点と Out 点にマーカーが表示されます。

▶ シーケンスマーカーのシンクロを設定する

タイムラインに配置したシーケンスマーカーは、クリップのトリミングの影響を受けます。たとえば、トリミングによってクリップのデュレーションが変わると、マーカーとクリップの関係がズレてしまいます。リップルモードをオンにすると、トリミングなどの編集作業によって、クリップとマーカーの位置関係を連動させることができます。

1 「アンカー」をオフにする

「シーケンスマーカー」リストの「アンカー」のチェックマークをオフにします。

2 リップルモードをオンにする

「リップルモードの切り替え」ボタンをクリックしてオンにします。

3 クリップの操作とマーカーが連動する

クリップのトリミングに応じて **1**、マーカーも連動します **2**。

CHECK!

「アンカー」がオンの場合

「シーケンスマーカー」リストの「アンカー」がオンの場合、リップルモードでもクリップとマーカーは連動しません。

SECTION

CHAPTER 07 ▶ マーカー

05 マーカーにコメントを設定する

クリップマーカーとシーケンスマーカーは、それぞれコメントを入力できます。このコメントは、いわばシーケンスやクリップへの「メモ」といえます。

▶ クリップマーカーのコメントを入力する

クリップに設定したクリップマーカーにコメントを入力します。入力する方法は複数ありますが、ここでは代表的な方法を解説します。

●「クリップマーカーの編集」で入力する

ポジションバーに設定したマーカーを右クリックし**1**、メニューから「クリップマーカーの編集」を選択します**2**。コメント入力ダイアログが表示されるので、コメントを入力して**3**「OK」ボタンをクリックします**4**。

●コメント欄で入力する

「クリップマーカー」パネルの「コメント」の欄をクリックします。入力モードに切り替わるので、コメントを入力します。

▶ シーケンスマーカーのコメントを入力する

タイムラインに設定したシーケンスマーカーにコメントを入力します。入力する方法は複数ありますが、ここでは代表的な方法を解説します。

●「シーケンスマーカーのコメント編集」で入力する

シーケンスのタイムラインに設定したマーカーを右クリックし**1**、メニューから「シーケンスマーカーのコメントを編集」を選択します**2**。コメント入力ダイアログが表示されるので、コメントを入力して**3**「OK」ボタンをクリックします**4**。

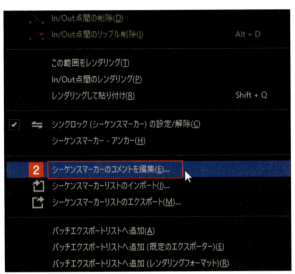

●コメント欄で入力する

「シーケンスマーカー」パネルの「コメント」欄をクリックして入力モードに切り替え、コメントを入力します。

> **CHECK!**
>
> **チャプターメニューに利用**
>
> 「シーケンスマーカー」を「DVD / BD へ出力」で利用すると、マーカーに入力したコメントが、チャプターマーカーになり、チャプターメニューのコメントとして利用できます。ただし、In 点と Out 点で範囲を指定したマーカーは、In 点がチャプターマーカーとして利用されます。

SECTION 06 マーカーにジャンプする

CHAPTER 07 ▶ マーカー

複数のマーカーを設定したクリップやタイムラインでは、タイムラインカーソルをマーカーにジャンプさせることで、コメント入力などをスピーディに行うことができます。

▶ マーカーへの移動ボタンを利用する

クリップマーカーやシーケンスマーカーを複数設定した場合、それぞれのパネルにあるジャンプボタンを使って、タイムラインカーソルをマーカーからマーカーへとジャンプできます。

1 パネルでボタンをクリックする

「クリップマーカー」パネルや「シーケンスマーカー」パネルを表示します。「前のマーカーへ移動」「次のマーカーへ移動」ボタンをクリックします。

2 タイムラインカーソルが移動する

操作ボタンをクリックするごとに、タイムラインカーソルが移動します。左画面は「シーケンスマーカー」ですが、クリップマーカーでも同じようにジャンプできます。

SECTION 07 マーカーを削除する

CHAPTER 07 ▶ マーカー

不要になったシーケンスマーカーやクリップマーカーは、それぞれのパネルから削除しましょう。操作手順はどちらのマーカーも同じです。

▶ マーカーをパネルから削除する

マーカーを削除するには、「シーケンスマーカー」パネルまたは「クリップマーカー」パネルで該当のマーカーを右クリックし、コンテキストメニューから「マーカーを削除」を選択します。

●「シーケンスマーカー」パネルで削除する

「シーケンスマーカー」パネルで不要なマーカーを右クリックして**1**、コンテキストメニューから「マーカーを削除」を選択します**2**。

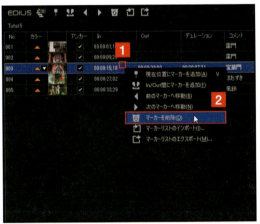
▲不要なマーカーを右クリックして「マーカーを削除」を選択する。

▲マーカーを削除する前。

▲マーカーを削除した後。

●「クリップマーカー」パネルで削除する

「クリップマーカー」パネルで不要なマーカーを右クリックして**1**、コンテキストメニューから「マーカーを削除」を選択します**2**。

▲不要なマーカーを右クリックして「マーカーを削除」を選択する。

▲マーカーを削除する前。

▲マーカーを削除した後。

SECTION 08　マーカーリストを書き出す

CHAPTER 07 ▶ マーカー

クリップマーカーリストやシーケンスマーカーリストは、CSV形式の外部ファイルとして書き出す（エクスポートする）ことができます。

▶ マーカーリストをエクスポートする

マーカーリストを書き出すには、「クリップマーカー」パネルまたは「シーケンスマーカー」パネルから「エクスポート」します。ここでは、「シーケンスマーカー」パネルから出力する例を解説します。

1 エクスポートを選択する

「シーケンスマーカー」パネルを表示し、「マーカーリストのエクスポート」ボタンをクリックします。

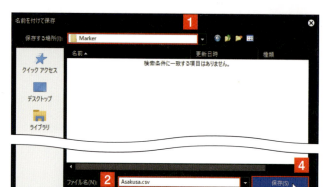

2 ファイル保存する

「名前を付けて保存」ダイアログが表示されるので、ファイルの保存先フォルダーを選択し**1**、ファイル名を入力して**2**、「ファイルの種類」を選択します（XMLまたはCSV形式が選択可能）**3**。次に、「保存」ボタンをクリックします**4**。

●出力したCSV形式ファイルの内容

	A	B	C	D	E
1	# EDIUS Marker list				
2	# Format Version 3				
3	# Created Date : Sat Jul 3 12:16:40 2021				
4	#				
5	# No	Anchor	Position	Duration	Comment
6	1	ON	00:00:01;10		雷門
7	2	ON	00:00:09;28		雷門
8	3	ON	00:00:15;18	00:00:07;21	宝蔵門
9	4	ON	00:00:27;02		ほおずき
10	5	ON	00:00:33;29		風鈴
11					
12					

●出力したXML形式ファイルの内容

SECTION 09 マーカーリストを読み込む

CHAPTER 07 ▶ マーカー

EDIUS Proから出力されたCSV形式のマーカーリストを取り込み（インポートし）、ほかのプロジェクトやシーケンスに適用することができます。

▶ マーカーリストをインポートする

マーカーリストを読み込むには、「クリップマーカー」パネルまたは「シーケンスマーカー」パネルから「インポート」します。ここでは、「シーケンスマーカー」パネルからインポートする例を解説します。

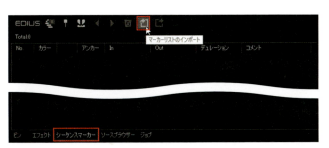

1 インポートを選択する

「シーケンスマーカー」パネルを表示し、操作ボタンの「マーカーリストのインポート」ボタンをクリックします。

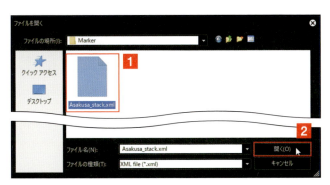

2 ファイルを選択する

「ファイルを開く」ダイアログが表示されるので、読み込むファイルをファイル選択して❶、「開く」ボタンをクリックします❷。

3 マーカーリストが読み込まれる

選択したマーカーリストが読み込まれ、シーケンスにもマーカーが適用されます。

SECTION 10 CHAPTER 07 ▶ マーカー

そのほかのマーカーリストのエクスポート／インポート方法

ここでは、SECTION 9で解説した以外の方法で、マーカーリストをインポート／エクスポートする方法を解説します。

▶ その他のエクスポート方法

マーカーリストをエクスポートするには、以下のような方法もあります。

1. メニューバーから「マーカー」→「マーカーリストのエクスポート…」を選択する。
2. 「タイムライン」パネルのタイムスケールを右クリックし、コンテクストメニューから「シーケンスマーカーリストのエクスポート…」を選択する。
3. シーケンスマーカー上で右クリックし、「マーカーリストのエクスポート …」を選択する。

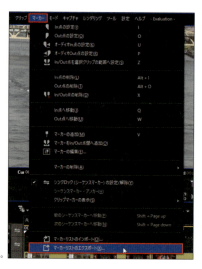
▶「マーカー」メニューから選択する場合のメニュー。

▶ その他のインポート方法

マーカーリストをインポートするには、以下のような方法もあります。

1. メニューバーから「マーカー」→「マーカーリストのインポート…」を選択する。
2. 「タイムライン」パネルのタイムスケールを右クリックし、コンテクストメニューから「シーケンスマーカーリストのインポート…」を選択する。
3. シーケンスマーカー上で右クリックし、「マーカーリストのインポート…」を選択する。

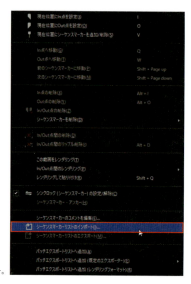
▶タイムスケールからインポートする場合のメニュー。

CHAPTER 08

THE PERFECT GUIDE FOR EDIUS Pro

[タイトル]

SECTION 01　メインタイトルを作成する方法

CHAPTER 08 ▶ タイトル

EDIUS Proには、作成する過程やタイトルクリップを配置する方法の違いなどによって、タイトルを作成する方法が複数あります。ここでは、タイトルの作成方法についてまとめて解説します。

▶ タイトルクリップを配置するトラック

EDIUS Pro で作成した「タイトルクリップ」は、タイトルトラックやビデオトラックに配置することができます。配置したトラックによって、設定できるエフェクトなどは異なります。なお、どちらのトラックに配置しても表示の違いはありません。

▶ビデオトラック「2V」に配置したタイトルクリップ**1**と、タイトルトラック「1T」に配置したタイトルクリップ**2**。

●ビデオトラックに配置した場合のエフェクト

ビデオトラックに配置したタイトルクリップにエフェクトを設定するには、「エフェクト」にある「トランジション」を利用します。

▲ビデオトラックのタイトルクリップ。

▲エフェクトは「トランジション」を利用する。

●タイトルトラックに配置した場合のエフェクト

タイトルトラックに配置したタイトルクリップには事前にデフォルトのエフェクトが設定されますが、ユーザーがエフェクトを設定するには、エフェクトにある「タイトルミキサー」から設定します。

▲タイトルトラックのタイトルクリップ。

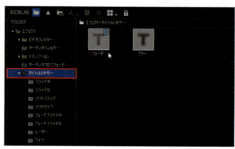

▲エフェクトは「タイトルミキサー」を利用する。

▶ クイックタイトラーで作成する

「クイックタイトラー」(Quick Titler)はEDIUS Proでタイトルを作成する機能です。クイックタイトラーを起動すると、タイムラインカーソルのある位置のフレーム映像を表示しながら起動します。

1 メニューバー クイックタイトラーのすべての機能をメニューから選択／起動できます。

2 ファイルツールバー タイトルクリップをファイルとして保存／読み込みしたり、「ビン」ウィンドウへの保存などを行うボタンが備えられています。

3 オブジェクトツールバー テキストオブジェクトを操作するためのツールを備えています。

4 オブジェクト作成画面 タイトルオブジェクトの作成／編集を行います。

5 タイトルオブジェクトプロパティ 選択したタイトルオブジェクトのプロパティを変更します。

6 ステータスバー クイックタイトラーの状態を表示します。

▶ クイックタイトラーの起動方法

クイックタイトラーは「ビン」ウィンドウまたは「タイムライン」パネルから起動できます。どのパネルから起動するかによって、対応の方法も異なります。

●「ビン」ウィンドウから起動する場合

クイックタイトラーを「ビン」ウィンドウから起動するには、ダイレクトに起動する方法と、作成するクリップの種類から起動する方法の2つがあります。画面では、タイトルクリップ保存用のフォルダーを新規に作成し、作業を行っています。

▲タイトルクリップ保存用のフォルダーを作成し**1**、「タイトルの作成」ボタンをクリックして起動する**2**。

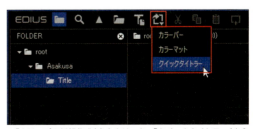

▲「クリップの新規作成」を右クリック→「クイックタイトラー」から起動する。

●「タイムライン」パネルから起動する

タイムラインからクイックタイトラーを起動する場合は、作成したタイトルクリップをどのトラックに配置するかによって操作が異なります。

1 ビデオトラックのうち、「トラックパッチ」のあるトラックにクリップを配置しながら起動します。
2 選択したトラック（1T）にクリップを配置しながら起動します。
3 タイトルトラックにクリップを配置しながら起動します。
4 1と同様に、「トラックパッチ」のあるビデオトラックにクリップを配置しながら起動します。

CHECK!

EDIUS Pro の操作ができない場合

タイムライン上でマウスポインターを操作している際、カギのマークが表示されて編集の操作ができなくなったり、あるいはコマンドがアクティブにならないといったことがあります。この場合のほとんどは、クイックタイトラーが起動した状態で、かつ EDIUS Pro の編集画面の背後になっているケースです。タスクバーにクイックタイトラーの「T」アイコンが表示されている場合は、これをクリックしてクイックタイトラーを終了させましょう。

また、起動中のダイアログを閉じるようにメッセージが表示される場合は、クイックタイトラーが起動している場合がほとんどです。

▲マウスポインターにカギのマークが表示された状態で編集ができない。

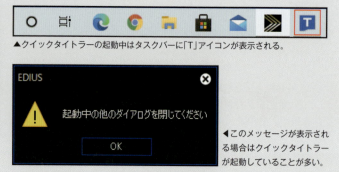
▲クイックタイトラーの起動中はタスクバーに「T」アイコンが表示される。

◀このメッセージが表示される場合はクイックタイトラーが起動していることが多い。

SECTION 02 CHAPTER 08 ▶ タイトル

メインタイトルを新規に作成する

ここでは、メインタイトルのタイトルクリップを作成する手順を解説します。メインタイトル以外を作成する場合も手順は同じです。

▶ メインタイトルを作成する

メインタイトルは、ムービーを再生して最初に表示されるタイトルです。ここでは、クイックタイトラーの起動と同時に、タイトルトラックに自動的にタイトルクリップを配置して、メインタイトルを作成する手順を解説します。

▶作成するメインタイトル。

▶ クイックタイトラーを起動する

クイックタイトラーの起動方法はいろいろありますが、ここではタイトルクリップをタイトルトラックに配置しながら起動します。

1 新規フォルダーを作成する

「ビン」ウィンドウを表示してフォルダービューで右クリックし**1**、「新規フォルダー」を選択して、タイトルクリップを保存するフォルダーを作成します**2**。フォルダーを作成したら、フォルダー名を入力します**3**。

245

2 タイトルの配置場所を決める

タイムラインウィンドウでタイムラインカーソルをドラッグし1、プレビューウィンドウで映像を確認しながら2、タイトルを配置する場所を決めます。また、リップルモードはオフにしておきます3。

3 クイックタイトラーを起動する

「タイムライン」ウィンドウの「タイトルの作成」ボタンをクリックして1、「タイトルの新規作成（1Tトラックへ追加）」を選択すると2、タイトルトラックにクリップを配置しながらクイックタイトラーが起動します。オブジェクト作成画面には、タイムラインカーソルがある位置のフレーム映像が表示されています3。

▶ タイトルの文字を入力する

クイックタイトラーが起動したら、タイトルの文字を入力します。

1 文字を入力する

「オブジェクトツールバー」で「横書きテキスト」ツールを選択します。ツールを選択すると、オブジェクト作成画面の左上でカーソルが点滅するので、ここで文字を入力します。

2 任意の位置に入力する

デフォルトの位置ではなく、別の位置をクリックして**1**、そこに文字を入力することもできます**2**。

▶ タイトルの文字サイズを変更する

文字サイズを変更するには、数値でサイズを入力して変更する方法と、ドラッグによって視覚的にサイズを確認しながら変更する方法があります。

1 文字のサイズを数値で調整する

文字サイズを数値で変更するには、タイトルオブジェクトプロパティの「フォント」オプションにある「初期サイズ」で設定します。初期値「72」の値を変更して数値（ここでは「200」）を入力し、Enterキーを押します。

2 ドラッグでサイズを調整する

入力した文字の回りにある□のハンドルをドラッグすると、視覚的に確認しながら文字のサイズを変更できます。

> **POINT**
>
> **縦横比を維持しながらサイズを変更する**
> Shiftキーを押しながら□のハンドルをドラッグすると、文字の縦横比を維持しながらサイズを変更できます。

▶

CHAPTER 08 タイトル

▶ タイトルを表示する位置を変更する

タイトルの文字を表示する位置を変更するには、入力した文字を選択してドラッグする方法と、数値を調整して変更する方法があります。

1 文字を選択する

オブジェクトツールバーで「オブジェクトの選択」を選択し①、入力した文字を選択します②。

2 文字をドラッグする

選択した文字をドラッグして①、文字を表示する位置を調整します②。

3 文字の位置を微調整する

さらに「タイトルオブジェクトプロパティバー」のオプションで微調整します。ここでは「テキストプロパティ」の「変形」にある、「X座標」と「Y座標」のパラメータを変更します。

POINT

座標の微調整
「X座標」と「Y座標」の数値にマウスポインターを合わせると、上下の「△」「▽」が表示されます。この状態でマウスホイールを回転させると数値を変更できます。

▶「テキストプロパティ」でフォントを変更する

「タイトルオブジェクトプロパティバー」で文字のプロパティを変更すると、ユーザーの好みに応じたデザインに設定できます。

1 フォントを変更する

テキスト文字を選択して1、「タイトルオブジェクトプロパティバー」の「テキストプロパティ」で「フォント」の▽をクリックします2。フォントサンプルが表示されるので、フォントを選択します3。

POINT

デザインは引き継がれる
「タイトルオブジェクトスタイルバー」でテンプレートを利用したり、「テキストプロパティ」で文字デザインを変更した場合、新たにタイトルプロパティを作成すると、前回利用した設定が引き継がれて、そのまま反映されます。

▶ 文字色を変更する

タイトルの文字色は、「タイトルオブジェクトプロパティバー」の文字のプロパティで変更します。

1 カラーボックスをクリックする

文字を選択し1、「テキストプロパティ」の「塗りつぶし」にあるカラーパレットをクリックします2。

2 色を選択する

「色の設定」ダイアログが表示されるので、利用したい色をクリックして**1**、「OK」ボタンをクリックすると**2**、文字色が変更されます。

▶ エッジを設定する

文字のエッジ（ふち取り）を設定することで、文字をはっきりと表示できるようになります。

1 エッジの色を設定する

オプションの「エッジ」のチェックボックスをオンにして**1**、カラーボックスをクリックして**2**、カラーピッカーを表示します。ここで色を選択して**3**、「OK」ボタンをクリックします**4**。

2 エッジの幅を変更する

エッジの「ハード幅」のパラメータを変更し、エッジの幅を調整します。

▶ 文字間隔や行間隔を調整する

文字と文字との間隔は、オプションの「変形」にある「文字間隔」の数値で調整します。パラメータの数字を大きくすると文字間隔が広がり、小さくする（マイナス側にする）と文字間隔が狭くなります。

「文字間隔」の数値を大きくする

▲数値を大きくすると文字間隔が広がる。

「文字間隔」の数値を小さくする

▲数値を小さくすると文字間隔が狭くなる。

> **CHECK!**
>
> **行間隔を調整する**
> 複数行のタイトルを入力した場合は、「変形」にある「行間隔」の数値で行間を調整できます。

▶「タイトルオブジェクトスタイルバー」で文字デザインを変更する

「タイトルオブジェクトスタイルバー」を利用すると、フォントと同時に文字デザインも変更できます。

1 フォントとデザインを変更する

タイトルの文字を選択して、「タイトルオブジェクトスタイルバー」でプリセットのサムネイルをダブルクリックすると■、選択したプリセットのデザインが文字に適用されます■。

POINT

プリセットについて

「タイトルオブジェクトスタイルバー」のプリセットには、フォント、文字色、影などのオプションが設定されています。プリセットのサムネイルをダブルクリックすると、それらの設定が文字に適用されます。

2 スタイルを変更する

別のサムネイルをダブルクリックすると■、新しいプリセットのスタイルに変更されます■。

▶ クイックタイトラーを終了する

タイトル文字の各種オプション設定を終了したら、設定内容を保存してクイックタイトラーを終了します。

1 「保存」ボタンをクリックする

クイックタイトラーの操作ボタンにある「保存」ボタンをクリックし、クイックタイトラーでの設定内容をタイトルクリップに保存します。

2 タイトルクリップを確認する

クイックタイトラーで設定した内容は、タイトルクリップとして保存されています①。同時に、タイトルトラックにもタイトルクリップが配置されています②。

▶ タイトルクリップの再編集

タイトルクリップを修正するには、「ビン」ウィンドウのタイトルクリップをダブルクリックするか、タイトルトラックに配置したタイトルクリップをダブルクリックします。文字を読み込みながら、クイックタイトラーが起動します。

▲タイトルクリップをダブルクリックするとクイックタイトラーが起動する。

CHECK!

トラックに配置する

「ビン」ウィンドウに登録されたタイトルトラックは、通常のクリップと同様に、ビデオトラックやタイトルトラックにドラッグ＆ドロップで配置できます。

SECTION 03 CHAPTER 08 ▶ タイトル
「テキストプロパティ」と「背景プロパティ」

クイックタイトラーでは、テキストのオプションを修正する「テキストプロパティ」モードと、背景のパラメータを修正する「背景プロパティ」を自動的に切り替えて作業を行います。

▶ プロパティを切り替える

クイックタイトラーでは選択したオブジェクトに応じて、「テキストプロパティ」と「背景プロパティ」を自動的に切り替えます。

1 クイックタイトラーを起動する

クイックタイトラーを起動すると、最初は「背景プロパティ」モードになります。

2 「テキストプロパティ」モードに切り替える

「オブジェクトの選択」ツールをクリックし 1、入力されている文字を選択すると 2、自動的に「テキストプロパティ」モードに切り替わります 3。

CHECK!

「背景プロパティ」に切り替える

「テキストプロパティ」モードから「背景プロパティ」に切り替えるには、「オブジェクト選択」ツールで文字以外の部分をクリックします。

SECTION 04 メインタイトルに影を設定する

CHAPTER 08 ▶ タイトル

タイトル文字を目立たせる方法の1つに「影」の設定があります。影の設定は、クイックタイトラーのオプションとして用意されています。

▶ タイトルに影を設定する

メインタイトルに影を設定するにはクイックタイトラーを利用します。既存のタイトルクリップに影を設定する場合は、クイックタイトラーを再起動します。

1 クイックタイトラーを起動する

既存のタイトルクリップに影を設定するには、タイトルクリップをダブルクリックしてクイックタイトラーを起動します。

CHECK!

作成中のタイトルクリップに影を設定するには？
作成中のタイトルクリップは、作業の過程で「テキストプロパティ」モードに切り替えれば、手順 2 の操作で影の設定ができます。

2 「影」のオプションを設定する

「オブジェクトの選択」ツールでテキスト文字を選択し 1、「テキストプロパティ」モードに切り替えます。ここでオプションの「影」のチェックボックスをクリックしてオンにし 2、各種オプションを設定します 3 4 5 6。設定後、「保存」ボタンをクリックして設定を保存します 7。

CHECK!

影のオプション設定
　手順 2 のオプション設定のうち、3 は影の幅、4 は影の輪郭のぼかし具合、5 は影の色、6 は影の不透明度を調整するものです。

SECTION CHAPTER 08 ▶ タイトル

05 「クロール」タイトルを作成する

EDIUS Proでは、テキストが横に移動するテロップを「クロール」タイトルといいます。ここでは、クロールの作成方法を解説します。

▶ クロールを作成する

映像上に表示される解説文を「テロップ」といいます。テロップはフレームの右から左へ、あるいは左から右へと移動させることも可能です。EDIUS Proでは、移動するテロップのことを「クロール」と呼びます。クロールはクイックタイトラーで作成します。

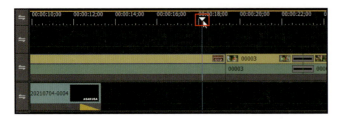

1 クロールの位置を決める

タイムラインを再生するか、あるいはタイムラインカーソルをドラッグして、クロールを配置したい位置に合わせます。

2 クイックタイトラーを起動する

「タイムライン」ウィンドウの操作ボタンから、「タイトルの作成」1→「タイトルの新規作成（1Tトラックへ追加）」2を選択し、クイックタイトラーを起動します。

POINT

タイムラインのモードは、リップルモードをオフにして作業を行います。

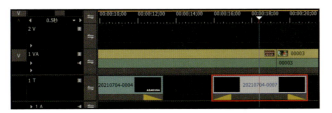

3 タイトルクリップが配置される

クイックタイトラーが起動すると、タイトルトラックにタイトルクリップが配置されます。

4 テキストを入力する

オブジェクトツールバーから「横書きテキスト」ツールを選択し①、テロップ用のテキストを入力します②。

5 デザインを設定する

文字のデザインは前回作成した際の設定が引き継がれるので、適宜変更します。テキストプロパティから設定するか①、タイトルオブジェクトスタイルバーのテンプレートをクリックして②、テキストをデザインします③。

6 テキストを表示する位置を調整する

クロールが表示される位置を調整します。「オブジェクトの選択」ツールをクリックして①テキストを選択し②、表示したい位置にドラッグします③。

7 「背景プロパティ」に切り替える

オブジェクト作成画面で文字以外の部分をクリックし①、「背景プロパティ」モードに切り替えます②。

8 タイトルの種類を選択する

「背景プロパティ」の「タイトルの種類」の▽をクリックし1、表示されたメニューの「クロール（右から）」を選択します2。

9 設定を保存して終了する

「保存」ボタンをクリックして設定の内容を保存し、クイックタイトラーを終了します。

10 テロップを確認する

プレビューウィンドウで「再生」ボタンをクリックし、クロールを確認します。

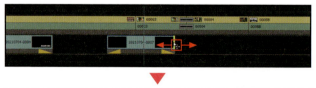

11 クリップをトリミングする

テロップの動きが速い／遅いと感じる場合は、クロールのクリップをトリミングします。デフォルトのデュレーションは5秒間ですが、クリップを長くすると遅く、短くすると速く再生されます。

SECTION | CHAPTER 08 ▶ タイトル

06 「ロール」タイトルを作成する

エンドクレジットやエンドロールと呼ばれる、ムービーの最後に表示されるロールテキストを「ロール」タイトルといいます。ここでは、ロールを作成する方法について解説します。

▶ スタッフ一覧のロールタイトルを作成する

「ロール」タイトルとは、ムービーの最後に制作スタッフや協力者の名前などを表示するテキストです。クロールと同様に、ロールタイトルもクイックタイトラーで作成します。

1 ロールの位置を決める

ムービーの最後など、ロールを配置したい位置にタイムラインカーソルを合わせます。

2 クイックタイトラーを起動する

「タイムライン」ウィンドウの操作ボタンから、「タイトルの作成」**1**→「タイトルの新規作成（1Tトラックへ追加）」**2**を選択し、クイックタイトラーを起動します。

259

3 テキストを入力する

オブジェクトツールバーから「横書きテキスト」ツールを選択し❶、ロール用のテキストを入力します❷。ここでは、改行しながら複数行を入力しています。

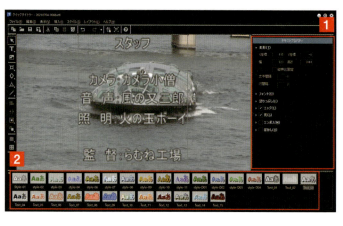

4 デザインや表示する位置を設定する

テキストプロパティ❶、またはタイトルオブジェクトスタイルバーのテンプレートを利用して❷、テキストをデザインします。必要に応じて、テキストを表示する位置や「行間」を調整します。

CHECK!

テキストファイルを読み込む

手順❸で、スタッフ一覧のように文字量の多いデータは、あらかじめテキストファイルとして作成しておき、読み込んで利用することも可能です。クイックタイトラーの操作メニューから、「挿入」→「テキスト」→「ファイル」を選択し❶、「ファイルを開く」ダイアログでテキストファイルを選択して❷「開く」ボタンをクリックすれば❸、改行された状態で読み込むことができます。

5 タイトルの種類を選択する

オブジェクト作成画面で文字以外の部分をクリックして、「背景プロパティ」モードに切り替えます。「タイトルの種類」の▽をクリックし①、表示されたメニューの「ロール（下から）」を選択します②。

6 設定を保存して終了する

「保存」ボタンをクリックして設定の内容を保存し、クイックタイトラーを終了します。

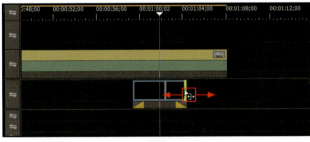

7 クリップの確認とトリミングをする

ロールを再生して動きが速い／遅いと感じる場合は、ロールのクリップをトリミングします。デフォルトのデュレーションは5秒間ですが、クリップを長くすると遅く、短くすると速く再生されます。
なお、動画のクリップより長い部分は、テキストだけが黒バックに表示されます。

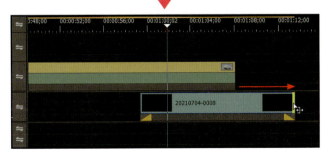

SECTION CHAPTER 08 ▶ タイトル

07 タイトルトラックのクリップにエフェクトを設定する

タイトルトラックに配置したタイトルクリップに設定するエフェクトは、「エフェクト」の「タイトルミキサー」にあるエフェクトを利用します。

▶ エフェクトを切り替える

タイトルトラックにタイトルクリップを配置すると、自動的に「タイトルミキサー」のデフォルトエフェクトが設定されます。このエフェクトを変更するには、「タイトルミキサー」で新しいエフェクトを選択し、既存のエフェクトの上にドラッグ＆ドロップします。

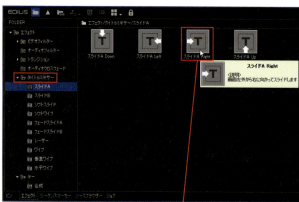
▲「タイトルミキサー」でエフェクトを選択する。

POINT

「トランジション」は利用できない
「トランジション」にあるエフェクトは、タイトルトラックに配置したタイトルクリップには設定できません。

CHECK!

エフェクトを削除する
不要なエフェクトを削除するには、ミキサー部のエフェクトを選択して Delete キーを押します。

▲ミキサー部の既存のエフェクトに、選択したエフェクトをドラッグ＆ドロップする。

CHECK!

左右にドラッグ＆ドロップする
エフェクトをドラッグ＆ドロップする際はタイトルクリップの左右、つまり先頭と終端の両方にドラッグ＆ドロップする必要があります。

SECTION 08　CHAPTER 08 ▶ タイトル

ビデオトラックのクリップにエフェクトを設定する

ビデオトラックに配置したタイトルクリップに設定するエフェクトは、「トランジション」にある各種エフェクトを利用します。

▶ トランジションを設定する

タイトルクリップはタイトルトラックだけではなく、ビデオトラックにも配置できます。この場合、エフェクトはクリップ上ではなく、ミキサー部にドラッグ＆ドロップで配置します。

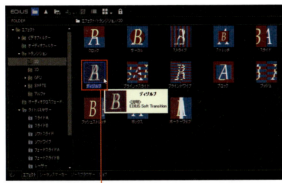
▲エフェクトを選択する。

▲ミキサー部にドラッグ＆ドロップする。

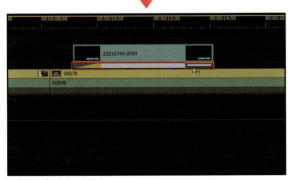
▲クリップの左右に配置する。

POINT

「タイトルミキサー」は利用できない
「タイトルミキサー」にあるエフェクトは、ビデオトラックに配置したタイトルクリップには設定できません。

CHECK!

左右にドラッグ＆ドロップする
エフェクトをドラッグ＆ドロップする際はタイトルクリップの左右、つまり先頭と終端の両方にドラッグ＆ドロップする必要があります。

CHECK!

エフェクトを削除する
不要なエフェクトを削除するには、ミキサー部のエフェクトを選択して Delete キーを押します。

SECTION 09 ビデオトラックとタイトルトラックの配置順

複数のトラックを利用してタイトルクリップを配置する場合、ビデオトラックとタイトルトラックでは、トラックの配置順に注意が必要です。

▶ 複数のタイトルトラック・ビデオトラックを利用する

タイトルクリップはタイトルトラックとビデオトラックのどちらにでも配置でき、同じように表示されます。ただし、複数のトラックを利用して配置した場合は、トラックの順番によって表示順が異なるので注意が必要です。

●複数のタイトルトラックにタイトルクリップを配置する場合

複数のタイトルトラックを準備し、それぞれにクリップを配置します。1Tトラックと2Tトラックにタイトルクリップを配置した場合、2Tトラックに配置したタイトルクリップが前面に表示されます。

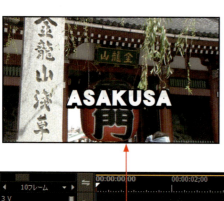

◀この場合は2Tトラックに配置したタイトルクリップが前面に表示される。

●複数のビデオトラックにタイトルクリップを配置する場合

複数のビデオトラックを準備し、それぞれにクリップを配置します。2Vトラックとる3Vトラックにタイトルクリップを配置した場合、3Vトラックに配置したタイトルクリップが前面に表示されます。なお、タイトルトラックとビデオトラックの双方にタイトルを配置した場合は、タイトルトラックのクリップが前面に表示されます。

◀この場合は3Vトラックに配置したタイトルクリップが前面に表示される。

●タイトルトラックと同じに表示するには

複数のビデオトラックを準備し、それぞれにクリップを配置して、タイトルトラックと同じように表示させるには、前面に表示させたいクリップを「数字の大きなトラック」に配置する必要があります。たとえば「浅草散歩」というテキストを前面に表示させるには、3Vトラックに配置する必要があります。

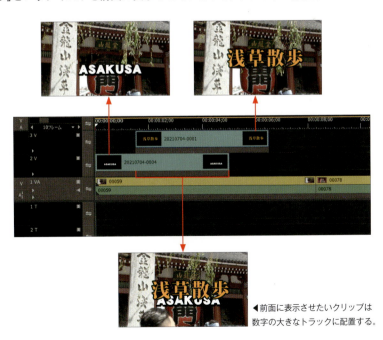

◀前面に表示させたいクリップは数字の大きなトラックに配置する。

SECTION CHAPTER 08 ▶ タイトル

10 タイトルクリップの デフォルト設定を変更する

タイトルクリップのデュレーションはデフォルトで5秒間です。デュレーションのほか、タイトルクリップのデフォルト設定を変更するには「ユーザー設定」を利用します。

▶ クリップタイトルのデフォルト設定値はユーザー設定で変更

ビデオクリップをタイトルトラックに配置したとき、デフォルトでの設定値が適用されます。このデフォルト設定値は、「ユーザー設定」にある「素材」→「デュレーション」で設定パネルを表示し、「タイトル」にある項目の設定値を変更します。

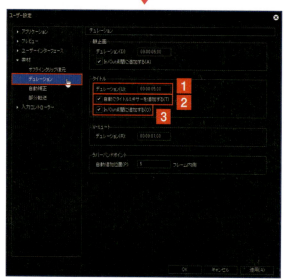

1 タイトルのデュレーションを変更します。
2 トラックに配置したとき、デフォルトのタイトルミキサーを設定する／しないを切り替えます。
3 In点とOut点で指定した範囲にタイトルクリップを適用する／しないを切り替えます。

POINT

デフォルトのタイトルミキサー

タイトルミキサーのデフォルトには「フェード」が設定されています。これを変更するには、目的のエフェクトのアイコンを右クリックして1、コンテキストメニューの「このエフェクトをデフォルトにする」を選択します2。

CHAPTER

09

THE PERFECT GUIDE FOR EDIUS Pro

[オーディオ]

SECTION CHAPTER 09 ▶ オーディオ

01 オーディオクリップを取り込む

EDIUS Proでオーディオデータを素材として利用するには、MyncまたはEDIUS Proの「ビン」ウィンドウに取り込みます。ここでは「ビン」ウィンドウに取り込む方法を解説します。

●「ビン」ウィンドウに取り込む

EDIUS Proで利用する素材はすべてMyncで管理するとかんたんです。しかし、長期間にわたってEDIUS Proを利用しているユーザーであれば、使い慣れた「ビン」ウィンドウで管理するのもよいでしょう。

1 「クリップの追加...」を選択する

「ビン」ウィンドウのフォルダービューで、オーディオデータ用のフォルダーを新規に作成します❶。クリップビューで右クリックして❷、コンテクストメニューの「クリップの追加...」を選択します❸。

2 オーディオデータを選択する

「ファイルを開く」ダイアログで利用したいオーディオデータを選択し❶、「開く」ボタンをクリックします❷。

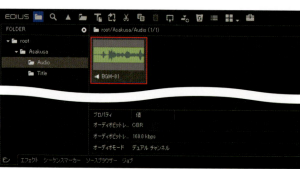

3 EDIUS Proに登録される

読み込まれたオーディオデータが「ビン」ウィンドウに登録されます。登録されたオーディオデータのサムネイルには波形が表示されます。なお、オーディオデータはすべて同じ波形のサムネイルが適用されます。

SECTION 02 オーディオクリップを配置する

CHAPTER 09 ▶ オーディオ

オーディオクリップはオーディオ専用のオーディオトラックに配置します。ここでは、BGM用のデータをオーディオトラックに配置します。

▶「A」トラックに配置する

タイムラインのオーディオトラックにオーディオクリップを配置する際は、オーディオトラックにほかのデータがないことを確認しましょう。

1 リップルモードをオフにする

オーディオクリップの追加による影響を防ぐため、タイムラインでリップルモードをオフにします1。クリップを配置したい位置にタイムラインカーソルを合わせ2、クリップを配置する予定のトラックにトラックパッチを指定します3。

POINT
ほかのデータがないことを確認する
トラックパッチを設定する前に、対象のトラックにほかのデータがないことを確認しましょう。

2 オーディオトラックに配置する

「ビン」ウィンドウの「タイムラインへ配置」ボタンをクリックすると、トラックパッチで指定したトラックのタイムラインカーソル位置にオーディオクリップが配置されます。

POINT
「ソースブラウザー」ウィンドウから配置する
「ソースブラウザー」ウィンドウからクリップを配置する場合も操作は同じです。

CHECK!
ドラッグ&ドロップで配置する
「ビン」ウィンドウからオーディオトラックへ、ドラッグ&ドロップで配置することも可能です。

SECTION 03　オーディオクリップをトリミングする

CHAPTER 09 ▶ オーディオ

オーディオクリップも、ビデオクリップ同様にトリミングが可能です。ここではドラッグによるトリミングと、分割によるトリミングの方法について解説します。

● ドラッグでトリミングする

オーディオトラックに配置したオーディオクリップは、ビデオクリップ同様にドラッグによってトリミングができます。

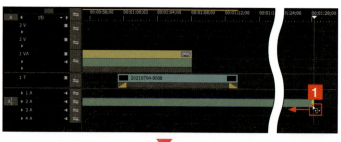

1 終端をトリミングする

オーディオトラックに配置したクリップの終端にマウスポインターを合わせてクリックし、左方向にドラッグしてトリミングします**1**。他のトラックに配置されたクリップの終端位置と同じ位置までドラッグすると、他のクリップに三角マークが表示されます**2**。これは、ちょうど同じ位置に接していることを示しています。

● 分割でトリミングする

トリミングはドラッグで行うのが基本ですが、「任意の場所で分割して、不要な部分を削除する」というトリミング法もよく利用されます。とくに、ショートカットキーでトリミングする場合は、後者のほうがスピーディに作業ができます。なお、分割には「カットポイントの追加」ボタンを利用します。

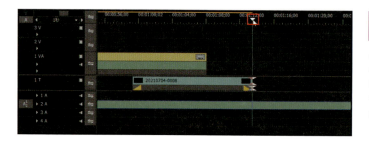

1 分割ポイントを決める

クリップを分割したい位置にタイムラインカーソルを合わせます。クリップの分割は、タイムラインカーソルから伸びるラインの位置で実行されます。

2 クリップを選択する

分割するクリップを選択します。ここではオーディオクリップのみ選択していますが、ビデオクリップも含めた複数のクリップを選択してもかまいません。

3 クリップを分割する

タイムラインウィンドウの「カットポイントの追加」ボタンをクリックすると、タイムラインカーソルの位置で分割されます。

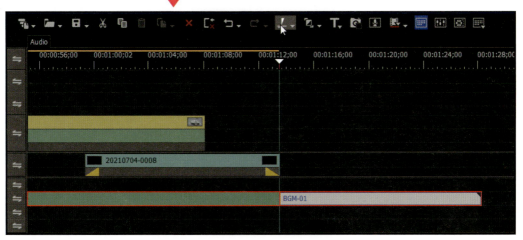

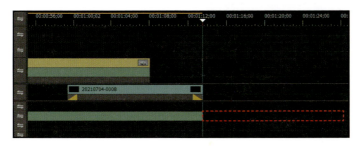

4 不要な部分を削除する

不要なクリップ部分を削除するには、マウスで選択して Delete キーを押します。

CHECK!

複数のクリップを選択する
手順 2 で、Ctrl キーを押しながらクリップをクリックすると、複数の任意のクリップを選択できます。

CHECK!

ショートカットキーを利用する
手順 3 で、タイムラインウィンドウが選択状態のときにキーボードの C キーを押すと、同じようにタイムラインカーソル位置で分割されます。

SECTION CHAPTER 09 ▶ オーディオ

04 クリップの音量をラバーバンドで調整する

EDIUS ProでBGMなどオーディオクリップの音量を調整する方法は複数あります。その中の1つ、「ラバーバンド」という機能を利用すると、タイムラインウィンドウ上で音量の調整ができます。

▶ ラバーバンドでボリューム調整をする

オーディオトラックを展開すると、「ボリューム」と「パン」を調整する「ラバーバンド」が表示されます。ボリュームのラバーバンドを利用すると、音量を調整できます。

1 トラックを展開する

オーディオクリップを配置した「2A」トラックのトラックパネルにある「ボリューム／パン」ボタンをクリックします。トラックが展開されて、音声の波形が表示されます。

2 トラックの高さを調整する

必要に応じて、作業しやすいようにトラックの高さを調整します。シーケンスのタブを右クリックし①、「トラックの高さ」のサブメニューから高さを選択します②。

3 「VOL」に設定する

「ボリューム／パン」ボタンをクリックし**1**、ボリュームの「VOL」を表示します**2**。VOLを表示すると、オレンジ色のラバーバンドが表示されます**3**。

4 キーフレームを設定する状態にする

ラバーバンド上にマウスポインターを合わせると、「○」と「＋」マークが表示されます。これはキーフレームを設定する状態（P.196参照）であることを示します。

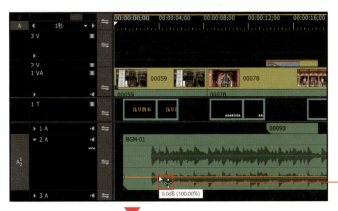

5 音量を設定する状態にする

手順**4**の状態で Shift キーを押すと、マウスポインターの上下に「△」「▽」マークがある形に変わります。この状態でマウスを上方向にドラッグすると音量が大きくなり、下方向にドラッグすると音量が小さくなります。

▲音量が大きくなる。

▲音量が小さくなる。

POINT

音量はデシベル表示される

ラバーバンドで調整した場合の音量は「デシベル（dB）」で表示されます。

dB とは「基準となる音量（信号）と比較して、どの程度大きいか／小さいか」を、対数（Log）で表現した単位記号です。

この場合、EDIUS Pro に取り込んだ時点での素材データの音量を 0dB（ゼロ dB）として基準とし、それと比較した値が dB で表示されます。

通常、6dB で基準となる音量の 2 倍の大きさに、－6dB で基準となる音量の 1/2 の大きさになります。

CHECK!

タイムラインの波形の表示方法

タイムラインで音声データの波形を表示する方法は、「Linear（%）」と「Log（dB）」から選択できます。デフォルトでは「Linear（%）」で表示されるように設定されています。この設定を変更するには、メニューバーから「設定」→「ユーザー設定」→「アプリケーション」→「タイムライン」を選択し、表示された設定パネルの「ウェーブフォーム」で選択します。

▲「Linear（%）」で表示した場合の波形とラバーバンドの表示。

▲「Log（dB）」で表示した場合の波形とラバーバンドの表示。

CHECK!

パンの設定

「パン」は音の方向や距離の位置を定める機能で、「音像定位」とも呼ばれます。かんたんにいうと、ステレオで左右のスピーカーからの音量がバランスよく聞こえるように調整することです。ボリュームと同様、パンはラバーバンドで調整します。ラバーバンドの位置は以下のように反映されます。

- ラバーバンドが上 → 定位が左側に振られる。
- ラバーバンドが下 → 定位が右側に振られる。

▲「ボリューム／パン」ボタンをクリックして「PAN」にすると①、青いラバーバンドが表示される②。

▲ Shift キーを押しながらラバーバンドを上方向にドラッグする。

▲ Shift キーを押しながらラバーバンドを下方向にドラッグする。

CHECK!

ボリュームをミュートする

トラックヘッダーにある「オーディオのミュート」をオンにすると、オーディオはミュート（消音状態）になります。ミュートにすると、スピーカーの形をしたボタンの色が暗いグレーで表示されます。

SECTION 05 オーディオミキサーで音量調整する

CHAPTER 09 ▶ オーディオ

「オーディオミキサー」を利用すると、映像を再生しながら音量調整ができます。トラックごとに調整することも、すべてのトラックをまとめて調整することもできます。

▶「オーディオミキサー」について

「オーディオミキサー」はビデオを再生しながら音量調整ができる機能です。「動作設定」では調整の対象をクリップにするか、あるいはトラックにするかを選択できます。また、「ラーニングモード」を選択すると、フェーダーの操作をボリュームのラバーバンドに反映させることができます。

■1 パンコントロール　パンを調整します。
■2 ミュート/ソロ　トラックのミュートを切り替えます。
■3 連結　ほかのトラックのフェーダーと音量を保ったまま連携させます。
■4 レベルメーター　音量をグラフで視覚的に表示します。
■5 設定

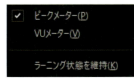

・ピークメーター　オーディオ信号の瞬間的な音量の変化を視覚的に確認できるメーターです。目盛りはフルスケールで表示されます。
・VUメーター　オーディオ信号の平均音量を表示します。人間の聴覚により近い表示でオーディオ信号を確認できます。目盛りは音声基準スケールで表示されます。
・ラーニング状態を維持　ラーニング中に再生を停止してもラーニングモード(動作設定)が維持されて、「オフ」の状態に戻らなくなります。オーディオミキサーを閉じると、この設定はオフに戻ります。

6 動作設定　ボリューム／パン調整の対象と、ボリューム調整のラーニングモード（動作設定）の選択ができます。「ラッチ」「タッチ」「ライト」のいずれかを選択している場合はラーニングモードになり、ラバーバンドにポイントが追加されます。なお、「マスター」の動作設定は「マスター」「オフ」の2種類だけです。

[調整の対象の選択]
- **マスター**　全トラックのボリュームを調整します。「マスター」でのみ選択できます。
- **トラック**　パンコントロールやボリュームのフェーダー操作が各トラックに反映されます。ラーニングは行いません。
- **クリップ**　パンコントロールやボリュームのフェーダー操作が、タイムラインカーソルの位置にあるクリップを対象に反映されます。スライダーを操作した結果は、ラバーバンドに反映されます。ラバーバンドポイントが設定されている場合は、パンは「すべて移動」、ボリュームは「すべてを比率で移動」になります。ただし、操作開始時の値が「-∞」の場合は「すべて移動」になります。また、ラーニングは行いません。

[ラーニングモードの選択]
- **オフ**　パンコントロールとフェーダーがロックされます。
- **ラッチ**　フェーダーのドラッグを開始した時点から、再生停止までのラーニングを行います。
- **タッチ**　フェーダーをドラッグして、ドラッグを解除するまでのラーニングを行います。ドラッグを解除すると、フェーダーは自動的にもとのボリュームに戻ります。
- **ライト**　再生開始から停止までのラーニングを行います。「ラッチ」や「タッチ」と異なり、フェーダーをドラッグしている／していないに関わらず、以前のボリューム値を上書きします。

※パンはラーニングモードで調整できません。

7 レベルオーバーインジケーター　レベルオーバーした場合に点灯します。クリックすると消灯します。
8 フェーダー　上下にドラッグして音量を調整します。
9 再生　タイムラインカーソルの位置から、タイムラインを再生します。

● BGMの音量を調整する

ここではオーディオミキサーを利用して、「2A」トラックにBGMとして設定したオーディオクリップの音量を調整します。

1 オーディオミキサーを表示する

タイムラインの「オーディオミキサーの表示／非表示」ボタンをクリックして、オーディオミキサーを表示させます。

2 メーターを選択する

「設定」をクリックし1、利用するメーターを選択します2。デフォルトで「ピークメーター」が選択されています。

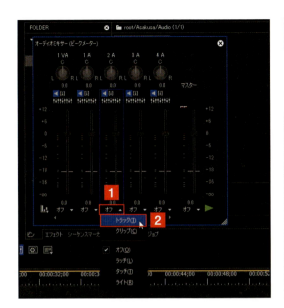

3 調整の対象を選択する

ここでは、「2A」トラックを音量調整の対象とします。「2A」トラックのオーディオミキサーの「動作設定」をクリックし1、メニューの「トラック」を選択します2。

CHECK!

調整の対象の選択
手順3で「動作設定」をクリックすると、以下のような選択が可能です。
- 全トラックのボリュームを調整する場合は、マスターの「動作設定」→「マスター」をクリックします。
- 個々のトラックに配置したクリップのボリュームを調整する場合は、目的のトラックの「動作設定」→「クリップ」を選択します。

4 再生を開始する

再生を開始する位置にタイムラインカーソルを移動し、オーディオミキサーの「再生」ボタンをクリックします。

5 レベルを調整する

再生音を確認しながらフェーダーをドラッグして、利用したい音量に設定します。

POINT

メニューからオーディオミキサーを表示する
手順1で、メニューバーから「表示」→「オーディオミキサー」を選択することでも、オーディオミキサーを表示できます。

SECTION 06　ラーニングモードで音量調整する

CHAPTER 09 ▶ オーディオ

タイムラインのオーディオミキサーでラーニングモードを利用すると、スライダーの動作をそのままラバーバンドに反映させることができます。

▶ ラーニングモードで音量調整する

ラーニングモードで音量を調整すると、スライダーでの調整がダイレクトにラバーバンドに反映されます。ここでは、「ラッチ」という方法で音量を調整する手順を解説します。

1 ラバーバンドを表示する

タイムラインで音量を調整したいオーディオトラック（ここでは「2A」）を展開し ❶、「ボリューム／パン」ボタンをクリックして ❷、ラバーバンドを表示します ❸。

2 オーディオミキサーを表示する

タイムラインの「オーディオミキサーの表示／非表示」ボタンをクリックして、オーディオミキサーを表示させます。

3 メーターを選択する

「設定」をクリックし ❶、利用するメーターを選択します ❷。デフォルトで「ピークメーター」が選択されています。

4 ラーニングモードを選択する

ここでは「2A」トラックのラーニングモードを選択します。「動作設定」をクリックし**1**、「ラッチ」を選択します**2**。

5 再生を開始する

調整を開始する位置にタイムラインカーソルを移動し、オーディオミキサーの「再生」ボタンをクリックします。

6 レベルを調整する

再生音を確認しながら、フェーダーを上下にドラッグします**1**。フェーダーの上下の動作が、そのままボリュームのラバーバンドに反映されます**2**。

7 再生を停止する

音量の調整が完了したら、「再生」ボタンをクリックして再生を停止します。

SECTION | CHAPTER 09 ▶ オーディオ

07 BGMを手動で フェードアウトさせる

Aトラックに配置したオーディオクリップには、トランジションを使ったフェード設定はできません。たとえばBGMをフェードアウトさせたい場合は、手動で設定する必要があります。

▶ キーフレームを追加する

Vトラックと異なり、Aトラックにはトランジションを設定することができません。このため、たとえばBGMをフェードアウトしたい場合は、ラバーバンドを利用して手動設定する必要があります。

1 ボリュームの ラバーバンドを表示する

フェードアウトを設定したいクリップを配置したトラックを展開し❶、「ボリューム／パン」ボタンをクリックして❷、ボリュームのラバーバンドを表示します❸。

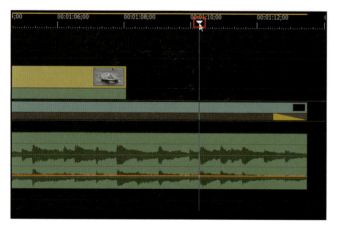

2 タイムラインカーソルを 合わせる

フェードアウトを開始したい位置にタイムラインカーソルを合わせます。

3 キーフレームを設定する

タイムラインカーソルとラバーバンドの交差する点にマウスカーソルを合わせると、マウスカーソルに「○」と「+」が表示されます❶。この点でクリックすると、ラバーバンドに青い円のキーフレームが設定されて、同時にマウスカーソルが十字のような形に変わります❷。

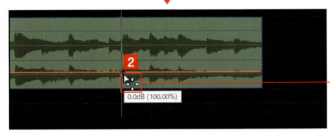

4 Out点を下へドラッグする

キーフレームを設定したら、ラバーバンドのOut点を下方向にドラッグします。

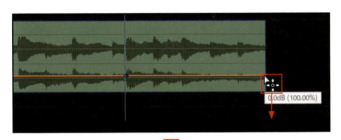

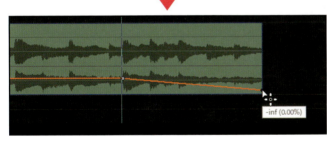

CHECK!

キーフレームを移動する

ラバーバンドに設定したキーフレームは、左右にドラッグして表示位置を変更できます。このとき、上下に動かさないように注意しましょう。音量が変化してしまいます。

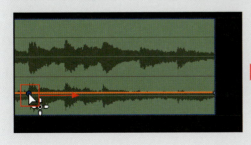
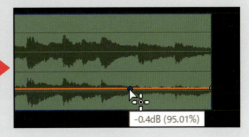

SECTION CHAPTER 09 ▶ オーディオ

08 BGMの特定の範囲だけ音量を調整する

「BGMの特定の範囲だけ音量を小さくしたい」といった場合は、ラバーバンドにキーフレームを設定して、範囲を指定して音量調整できます。

▶ ラバーバンドで特定範囲を音量調整する

クリップ全体の音量調整をするのではなく、クリップの一部の音量だけを調整したい場合は、ラバーバンドを利用します。たとえば、特定の映像部分だけBGMを消したいというような場合に利用します。

1 範囲を確認する

BGMを設定したプロジェクト内で、たとえば「風鈴の映像がある部分だけBGMの音量を消したい」といった場合は、まずクリップの範囲を確認します。クリップを選択すると、範囲を確認しやすくなります。

2 ラバーバンドを表示する

音量を調整するクリップを配置したトラックを展開し❶、「ボリューム/パン」ボタンをクリックして❷、ボリュームのラバーバンドを表示します❸。

3 先頭にキーフレームを設定する

音量を調整したい範囲の先頭にタイムラインカーソルを合わせ❶、ラバーバンドとの交点にマウスカーソルを合わせてクリックし❷、キーフレームを設定します❸。

4 終点にもキーフレームを設定する

音量を調整したい範囲の終端にもキーフレームを設定します。

5 音量を調整する

Altキーを押しながら、ラバーバンドのキーフレームとキーフレームの間にマウスポインターを合わせると①、マウスポインターの形が変わります。そのままAltキーを押しながら下方向にドラッグすると②、2つのキーフレームが追加されて、キーフレーム間の音量が下がります。

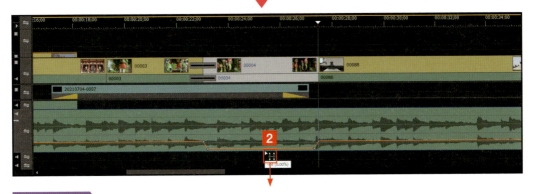

POINT

キーフレームを削除する

ラバーバンド上の不要なキーフレームを削除するには、キーフレーム上で右クリックして①、コンテキストメニューの「追加／削除」を選択します②。「すべて削除」を選択すると、ラバーバンド上のすべてのキーフレームが削除されます。

 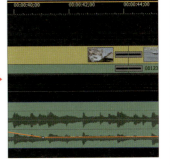

SECTION 09 | CHAPTER 09 ▶ オーディオ

複数クリップの音量を
ノーマライズ（均一化）する

複数のクリップの音量を均一化したい場合、「ノーマライズ」を利用すると、一括して複数のクリップの音量を適正な音量に調整できます。

▶ 複数クリップにノーマライズを適用する

トラックに配置した映像クリップごとに音量が異なる場合、各クリップの音量を一括して最適な状態に調整する機能が「ノーマライズ」です。

1 クリップを選択する

ノーマライズしたい複数のクリップを選択します。Shift キーや Ctrl キーを押しながらクリックすると、複数選択できます。

2 「ノーマライズ」を選択する

クリップ上で右クリックして■、コンテクストメニューから「ノーマライズ」を選択します■。メニューバーから「クリップ」→「ノーマライズ」を選択してもかまいません。

3 音量レベルを調整する

「ノーマライズ」ダイアログが表示されるので、「音量レベル」に基準値を入力して■、「OK」ボタンをクリックします■。デフォルトでは「プロジェクト設定」にある「音声基準レベル」の値が表示されています。

POINT

「プロジェクト設定」の設定パネル

「設定」→「プロジェクト設定」→「現在の設定を変更」で設定パネルを表示すると、「音声基準レベル」のデフォルト値を変更できます。

SECTION 10

CHAPTER 09 ▶ オーディオ

オーディオフィルターを設定する

「オーディオフィルター」を利用すると、オーディオクリップにエフェクトを設定できます。たとえば、フィルターの「トーンコントロール」では、低音部と高音部の調整ができます。

▶ オーディオフィルターを設定する

オーディオフィルターを利用すると、オーディオクリップのオーディオデータにエフェクトを設定できます。

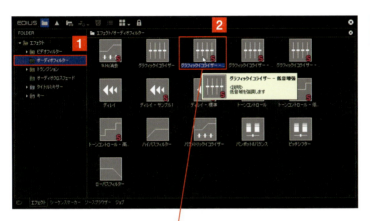

1 フィルターを設定する

「エフェクト」ウィンドウを表示し、「エフェクト」→「オーディオフィルター」を選択します①。利用したいエフェクトを選択し②、オーディオクリップ上にドラッグ＆ドロップします③。

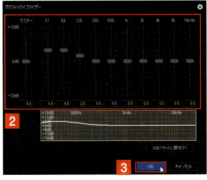

2 フィルターの設定パネルを表示する

「インフォメーション」パレットにあるフィルター名をダブルクリックし①、表示されたフィルターの設定ダイアログでオプションを設定します②。設定が完了したら、「OK」ボタンをクリックします③。

SECTION CHAPTER 09 ▶ オーディオ

11 ナレーションを録音する

ここでは、編集中のプロジェクトにナレーションを追加する方法について解説します。マイクなど、入力デバイスの登録方法についても解説します。

● デバイスプリセットの登録

映像にナレーションを追加する場合、EDIUS Pro で利用する録音用のデバイスをプリセットとして登録する必要があります。ここでは、ダイナミックマイクを登録する手順を例に解説します。

1 「システム設定」ダイアログを表示する

メニューバーから「設定」→「システム設定」を選択し、「システム設定」ダイアログを表示します。

2 「新規作成」を選択する

「システム設定」ダイアログが表示されたら、「ハードウェア」→「デバイスプリセット」を選択し1、「新規作成...」をクリックします2。

3 プリセットの名称を設定する

「名称」にデバイス名を入力し1、「アイコン選択...」をクリックします2。

286

4 アイコンを設定する

続いて、プリセットとして登録するデバイスのアイコンを設定します。「アイコンの選択」画面でアイコンを選択し①、「OK」ボタンをクリックします②。次の画面で登録されたアイコンを確認し③、「次へ」ボタンをクリックします④。

5 入力ハードウェアを設定する

「入力ハードウェア/フォーマット設定」画面が表示されるので、利用するマイクに合わせて各種オプションを設定します①。設定が完了したら、「次へ」ボタンをクリックします②。利用するマイクなどのデバイスに応じて、「詳細設定（S）…」③→「オーディオ設定」④などで設定を行います。

6 出力ハードウェアを設定する

「出力ハードウェア/フォーマット設定」画面が表示されるので、必要に応じて設定します❶。必要がなければ、「インターフェイス」を「なし」にします。設定が完了したら、「次へ」ボタンをクリックします❷。

7 「完了」ボタンをクリックする

これまで設定した内容が表示されるので、確認して「完了」ボタンをクリックします。

8 デバイスプリセットが登録される

デバイスプリセットが登録されたことを確認し❶、「OK」ボタンをクリックします❷。

▶ ナレーションを録音する

ナレーションはプロジェクトを再生しながら録音します。

1 トラックを選択する

ナレーションで録音したデータを配置するトラックを選択し、トラックパッチを設定します。ここでは「3A」に設定しています。

2 「ボイスオーバーの表示／非表示」をクリックする

タイムラインの操作ボタン「ボイスオーバーの表示／非表示」をクリックします。

3 デバイスを選択する

「ボイスオーバー」ダイアログが表示されるので、「デバイスプリセット」で録音用のデバイスを選択します。

4 ボリュームを調整する

マイクに向かって話し、ボリュームが0dBを越えないように、ボリュームのスライダーを調整します。なお、レベルメーターの表示は、録音システムがモノラルなのかステレオなのかによって異なります。画面では、モノラルタイプのシステムを利用している場合です。

5 出力先を選択する

「出力先」で「トラック」を選択し①、「ファイル名」にファイル名を入力します②。ファイル名はデフォルトのままでもかまいません。なお、ファイルの保存先を変更したい場合は、[…]をクリックして指定します③。

6 「開始」をクリックする

「開始」ボタンをクリックすると**1**、録音を開始します。このとき、プレビュー画面上にはカウントが表示され、録音が開始されると赤い●が点滅します**2**。

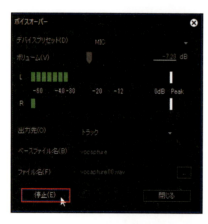

7 「停止」をクリックする

プレビューウィンドウを見ながらナレーションを録音します。録音が終了したら、「停止」をクリックします。

8 ファイルを登録する

ファイルの登録を確認するメッセージが表示されるので、「はい」ボタンをクリックします。

9 ファイルが配置される

選択したトラックに、録音したナレーションのオーディオファイルが登録されます。

CHAPTER

10

THE PERFECT GUIDE FOR EDIUS Pro

[出力]

SECTION CHAPTER 10 ▶ 出力

01 レンダリングを実行する

ビデオの編集中、スムーズに映像が再生できない場合は「レンダリング」がおすすめです。ここではレンダリングについて解説します。

▶「レンダリング」について

タイムラインで編集中のデータは、映像データ、音声データ、BGM 用のオーディオデータ、タイトル用のテキストデータ、エフェクト用の設定など、それぞれがバラバラの状態で存在しています。通常の「再生」では、これらの情報が一度に再生されるため、スムーズに再生できない場合があります。このようなときに行う作業が「レンダリング」です。レンダリングによってバラバラのデータが 1 つにまとめられ、再生がスムーズになります。

> **POINT**
>
> **レンダリングについて**
> レンダリングはタイムライン上の映像、音声、エフェクトなどのデータや情報をまとめて、1 つの動画ファイルを作成する作業です。いわば、映像ファイルとして出力する作業のことを指しています。

●リアルタイム再生について

「リアルタイム再生」は EDIUS Pro の主要な機能の 1 つです。リアルタイム再生において重要なのが「バッファ」です。たとえば、レンダリングではなく、Shift キーを押しながら再生を実行すると、可能な限りデータをバッファメモリーに読み込んで「バッファ再生」が実行されます。これが「リアルタイム再生」です。
なお、EDIUS Pro がバッファとして利用するメモリ容量は「設定」→「システム設定」→「アプリケーション」→「再生」を選択して設定パネルを表示し、「再生バッファ」で設定変更できます。デフォルトの設定値は、EDIUS Pro がインストールされているパソコンのメモリ容量に応じて設定されます。

CHECK!
Shift キーで
再生を実行
プレビューウィンドウなどで Shift キーを押しながら実行すると、バッファ再生が実行されます。

> **POINT**
>
> **バッファ容量には注意！**
> リアルタイム再生をスムーズに行うためには、バッファの設定値を最大にすればよいというものではありません。バッファ容量とシステムのメモリ容量は反比例の関係にあります。バッファ容量を大きくするとシステムのメモリ容量が小さくなり、メモリへの負担が増えて、結果として全体のパフォーマンスが落ちることもあるのです。通常は 512M バイト前後で十分ですが、パソコンに搭載されているメインメモリの容量に応じて調整しましょう。

▶ レンダリングを実行する

タイムラインでスムーズに再生できない場合、レンダリングすることで改善します。ここでは、レンダリングする範囲をIn点とOut点で設定する方法を解説します。

1 レンダリング範囲を設定する

タイムライン上で、レンダリングする範囲をIn点とOut点で設定します。

2 レンダリング方法を選択する

タイムラインの「In／Out点間のレンダリング」ボタンの右にある▽をクリックして **1**、「In／Out点間のレンダリング」→「負荷部分」を選択します **2**。

3 レンダリングとタイムスケールの色を確認する

タイムラインのタイムスケールには、色付きのラインが表示されます。この色によって、レンダリングの必要性を確認できます。

青色　プロジェクト設定と一致したクリップが配置されている。
水色　再生が間に合う。
橙色　レンダリングの候補（負荷部分）。
赤色　レンダリングが必要（過負荷部分）。
緑色　レンダリング済み。

4 レンダリングが実行される

レンダリングが実行されると、In／Out点間のラインの色が緑に変化します。

POINT

レンダリングのサブメニュー

レンダリングはメニューバーの「レンダリング」をクリックすると表示されるメニューから実行することもできます。このメニューではレンダリング方法は目的に応じて選択できます。

1 プロジェクト全体のレンダリング　複数のシーケンスを含めて、プロジェクト全体をレンダリングします。
2 シーケンス全体のレンダリング　表示しているシーケンスをレンダリングします。
3 In／Out点間のレンダリング　In点からOut点の間をレンダリングします。
4 現在位置の範囲のレンダリング　タイムラインカーソルのある位置のタイムスケールの色が赤（負荷）、または黄色（過負荷）の部分のみをレンダリングします。
5 選択クリップ／トランジションのレンダリング　選択したクリップやトランジションをレンダリングします。
6 レンダリングして貼り付け　レンダリングの結果をタイムラインの上位トラックに貼り付けます。

SECTION **02** CHAPTER 10 ▶ 出力

エクスポーターから H.264形式で出力する

ここではエクスポーターを利用して、現在編集中のプロジェクトを出力する方法について解説します。エクスポーターで設定されているファイル形式で、動画ファイルとして出力します。

▶「ファイルへ出力」ダイアログ

「ファイルへ出力」ダイアログでは出力する際のファイル形式、指定したファイル形式で出力するためのプリセット、エクスポーターなどを選択できます。そして、プロジェクトを選択したファイル形式で出力します。

1 カテゴリーツリー カテゴリーを選び、エクスポーターを絞り込むことができます。

2 エクスポーター/プリセット一覧 「カテゴリーツリー」で選んだカテゴリーのエクスポーターが一覧で表示されます。
　a：**変換処理が行われるプリセット** 5 の「変換処理を有効にする」にチェックを入れると、プロジェクト設定と異なるフォーマットのプリセットエクスポーターが表示されます。
　b：**ビデオエクスポーター** ファイルを出力するためのエクスポーターを表示します。

3 検索 エクスポーターを検索します。

4 In / Ou点間のみ出力する In点、Out点の間をファイル出力します。

5 変換処理を有効にする プロジェクト設定と異なるフォーマットで出力する場合、変換処理が有効になります。これによって、「変換処理が行われるプリセット」が一覧に表示されます。

6 タイムコードを表示する 画面にタイムコードを表示した状態でファイル出力します。

7 16bit / 2chで出力する プロジェクト設定や選んだプリセットエクスポーターのオーディオフォーマットに関係なく、16bit/2chで出力します。

8 詳細設定 プロジェクト設定と異なるフォーマットで出力する場合の変換処理を設定できます。

9 規定値として保存 「既定のエクスポーター」内に設定内容を保存します。レコーダーの「エクスポート」から「ファイルへ出力（既定のエクスポーター）」を選ぶと、保存したデフォルトのエクスポーターをかんたんに選べます。

10 プリセット操作ボタン
　a：**プリセットの保存** 「エクスポーター/プリセット一覧」で選んだエクスポーターと「詳細設定」で設定した変換処理を組み合わせて、プリセットエクスポーターとして登録します。
　b：**プリセットの削除** 「エクスポーター/プリセット一覧」で選んだプリセットエクスポーターを削除します。
　c：**プリセットのインポート** プリセットエクスポーターを読み込みます。
　d：**プリセットのエクスポート** プリセットエクスポーターを書き出します。

11 バッチリストに追加 指定している範囲をバッチリストに追加します。

12 ビンへ追加 出力した動画ファイルをクリップとしてビンに追加します。

▶ エクスポーターから動画ファイルを出力する

編集が完了したプロジェクトから、動画ファイルを出力します。ここで重要なのは出力するファイルの形式です。ファイル出力する際には、ファイルをどんな用途で利用するのかを考えます。ここでは、フルハイビジョン形式の素材を編集して、そのデータを「H.264」形式で出力する方法について解説します。

1 「ファイルへ出力」を選択する

ファイル出力したいプロジェクトを開き、「プレビューウィンドウ」にある操作ボタンの「エクスポート」ボタンをクリックし**1**、メニューから「ファイルへ出力」を選択します**2**。

2 カテゴリーとエクスポーターを選択する

「ファイルへ出力」ダイアログが表示されるので、左側のカテゴリーツリーから出力形式のカテゴリー「H.264/AVC」を選択します**1**。右側には、選択したカテゴリーのプリセットとエクスポーターが表示されるので、エクスポーターの「H.264/AVC」を選択します**2**。

3 オプションを設定する

必要に応じてオプションを設定します。プリセットを利用する場合、「変換処理を有効にする」をオンにすると、「変換処理が行われるプリセット」が表示されます。

4 「出力」ボタンをクリックする

エクスポーターなどを選択/設定したら、「出力」ボタンをクリックします。

5 「保存」ボタンをクリックする

出力したファイルを保存するフォルダーを選択し**1**、ファイル名を入力します**2**。「ファイルの種類」を確認して**3**、「保存」ボタンをクリックします**4**。また、パネル下にはエクスポーターの設定を変更するタブがあります**5**。

6 レンダリングが開始される

画面右下にエクスポートの開始メッセージが表示されるので、「OK」ボタン**1**をクリックします。ファイルとして出力するためのレンダリングが開始されます。「ジョブ」パネル**2**でレンダリングの進行状況を確認できます。

7 出力された動画ファイル

レンダリングが終了すると、指定したフォルダーに映像ファイルが保存されています。

CHECK!

「基本設定」と「拡張設定」

エクスポーターの設定を変更するには、ファイルの保存先指定パネルの下に表示されている「基本設定」タブと「拡張設定」タブで設定します。

▲「基本設定」タブの設定内容。　　▲「拡張設定」タブの設定内容。

SECTION 03 4Kで出力する

CHAPTER 10 ▶ 出力

現在では、4Kでの映像編集も増えてきました。ここでは、4Kプリセットで編集した映像データを4Kで出力する方法について解説します。

▶ 4Kプリセットを利用する

4Kや8Kのクリップを利用して編集して、最終的に4Kで出力したい場合は、4K用のプリセットを利用して出力します。

1 「ファイルへ出力」を選択する

編集が終了したら、「エクスポート」 1 →「ファイルへ出力 ...」 2 を選択します。

2 4K対応のプリセットを選択する

「ファイルへ出力」ダイアログが表示されたら、マイプリセットで出力用の設定を選択します。ファイル形式は「H.264/AVC」を選択し 1、「変換処理を有効にする」のチェックボックスをオンにします 2。続いて、「エクスポーター」から4K用のエクスポーターを選択します 3。

3 「詳細設定」を設定する

デフォルトのプリセットの設定内容を変更したい場合は、ダイアログボックスの左下にある「詳細設定」をクリックして表示を拡大し、設定を変更します。

POINT

「変換処理を有効にする」をオンにする

4K対応のプリセットは、手順 2 で「変換処理を有効にする」のチェックボックスをオンにすると、多くのプリセットが表示されます。

4 レンダリングを実行する

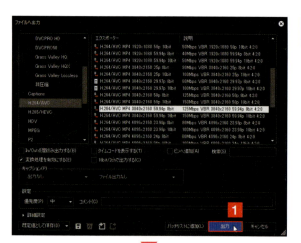

「ファイルへ出力」ダイアログの「出力」ボタンをクリックして■、ファイル保存のダイアログでファイルの保存先のフォルダーを選択し■、ファイル名を入力します■。「ファイルの種類」を確認し■、「保存」ボタンをクリックすると■、画面下にメッセージが表示されます。「OK」ボタンをクリックすると■、レンダリングが開始されます。

CHECK!

「規定値として保存する」の利用

「詳細設定」でオプションのパラメーターを変更した場合、常時その設定を利用するのであれば、「規定値」としてEDIUS Proに登録できます。「詳細設定」の左下にある「規定値として保存」をクリックすると、プリセットとして登録されて、一覧から選択できるようになります。

SECTION CHAPTER 10 ▶ 出力

04 DVDやBlu-rayディスクに出力する

プロジェクトの編集が完了したデータを、DVDビデオとしてEDIUS Proから出力します。ここでは、メニューなしのDVDビデオを作成する手順を解説します。

▶ プロジェクトをDVDビデオとして出力する

編集が完了したプロジェクトをEDIUS Proから出力する際、DVDビデオとBlu-ray Discを選択できます。ここではそのうち、DVDビデオで出力する方法を解説します。なお、DVDビデオには「メニューつき」と「メニューなし」の2種類があります。ここではメニューなしのDVDビデオを作成します。

1 「DVD／BDへ出力...」を選択する

DVDビデオとして出力したいプロジェクトを開きます。「プレビューウィンドウ」にある操作ボタンの「エクスポート」ボタンをクリックし **1**、メニューから「DVD／BDへ出力...」を選択します **2**。

2 Disc Burnerが起動する

「Disc Burner」が起動して、「DVD／BDへ出力」ダイアログが表示されます。「基本設定」タブをクリックします。

3 メニューは「なし」を選択する

「基本設定」タブでは、DVD出力のための基本設定を行います。メニューなしのDVDビデオを作成するには、以下のように設定します。

1 出力：DVD
2 フォーマット：720×480 59.94i
3 コーデック：MPEG2
4 メニュー：なし

4 出力の設定をする

「出力」タブをクリックして**1**、出力の設定をします。必要であれば、「メディア」で書き込むメディアの種類**2**、「出力の設定」タブで「ボリュームラベル」などを設定します**3**。

5 「再生時の動作」を設定する

「出力」タブの「再生時の動作」タブでは**1**、DVDビデオの再生が終了した時点での動作を設定できます。たとえば、ディスクを繰り返し再生したい場合は、「全タイトルを再生した後」にある「リピート再生する」をオンにします**2**。

6 書き込みを開始する

DVDビデオ出力の設定が完了したら、「作成開始」ボタンをクリックします。ディスクの書き込みが開始されます。

7 書き込みが進行する

書き込み作業を開始すると、フォーマットを変換してよいか確認するメッセージが表示されます。ここで「はい」ボタンをクリックするとデータのエンコードが開始されて、続いてディスクメディアへの書き込みが実行されます。

POINT

「エンコード」について

P.292で解説したように、「レンダリング」は映像、音声、テキストなどのデータを1つにまとめる作業です。これに対して、「エンコード」はレンダリングした結果を動画ファイルとして出力する作業です。動画ファイルのファイル形式は、MPEG、AVI、MP4などさまざまです。そして、動画ファイルを特定の形式で出力する際にデータの「圧縮」を行います。これがエンコードの特徴です。

8 書き込みが終了する

書き込みが完了するとメッセージが表示されるので、「OK」ボタンをクリックします **1**。書き込みを行ったメディアがドライブから排出されて、同時に編集画面を閉じるようにメッセージが表示されるので、「OK」ボタンをクリックします **2**。

POINT

イメージファイルを出力する

ディスクメディアに記録せずイメージファイルとして出力したい場合は、「出力の設定」タブにある「高度な設定を表示する」のチェックボックスをオンにしてください。出力形式が選択できます。

SECTION 05 CHAPTER 10 ▶ 出力
メニューありDVDビデオを作成する

ここでは「タイトルメニュー」と「チャプターメニュー」ありのDVDビデオを作成する手順について解説します。

▶ メニューありのDVDビデオについて

ここでは、編集が完了したプロジェクトからメニューありのDVDビデオを作成する手順を解説します。メニューには「タイトルメニュー」と「チャプターメニュー」があります。この2つのメニューを実装するDVDビデオを作成します。

タイトルメニュー(左)とチャプターメニュー(右)

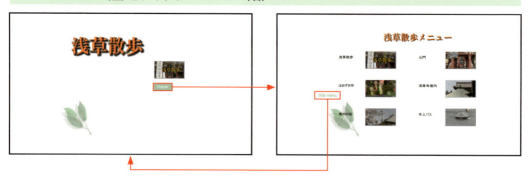

▶ マーカーを設定する

DVDビデオの作成が可能な他社のビデオ編集ツールでは、映像内の指定した位置にすばやく移動できる「チャプターマーカー」という機能が搭載されており、チャプターメニューで利用されています。EDIUS Proにはチャプターマーカーはありませんが、その代わりにシーケンスマーカー(P.226、235参照)が同様の機能を持っています。シーケンスマーカーのコメントは、ボタンのタイトルとしてチャプターメニューに表示されます。

▲タイムラインで設定したシーケンスマーカー。

▲シーケンスマーカーに設定したコメント。

▶ Disc Burner を起動する

シーケンスマーカーを設定して、プロジェクトの編集が完了したら、DVDビデオを作成するために「Disc Burner」を起動します。Disc Burner は EDIUS Pro に搭載されているオーサリングツールです。

1 「DVD／BDへ出力…」を選択する

DVD ビデオとして出力したいプロジェクトを開きます。「プレビューウィンドウ」にある操作ボタンの「エクスポート」ボタンをクリックし■、メニューから「DVD／BDへ出力…」を選択します■。

2 Disc Burnerが起動する

「Disc Burner」が起動します。

▶「基本設定」を設定する

Disc Burner の「基本設定」タブでは■、作成するディスクの基本的な設定をします。メニューあり DVD ビデオを作成する場合、「出力」では「DVD」■、「メニュー」では「あり」を選択します■。

▲Disc Burnerの「基本設定」タブの画面で設定する。

▶「ムービー選択」を設定する

Disc Burnerの「ムービー選択」タブでは■、ディスクに出力するムービーを選択します。「ムービー」の「ファイル追加」や「シーケンス追加」をクリックすると、編集中のシーケンスとは別のシーケンスや動画ファイルを追加できます■。「ディスク情報」の「メディア」では■、データを記録するメディアを選択できます。
データの容量が大きすぎてメディアに収録できない場合は、EDIUS Proに戻ってクリップを調整する必要があります■。

CHECK!

「設定」ボタンの機能
「ムービー選択」の画面で「ムービー」の「設定」ボタンをクリックすると、「タイトル設定」ダイアログが表示されます。ここで「全て自動」や「自動」のチェックをオフにすると、ビデオ部やオーディオ部の設定を変更できます。

▶「スタイル選択」を設定する

Disc Burnerの「スタイル選択」タブでは、タイトルメニューのデザインを設定します。基本的にはデフォルト状態で利用できますが、必要に応じて変更しましょう。

1 「カーソル形状」を選択する

「スタイル編集」タブをクリックして■、設定画面を表示します。オプションの「カーソル形状」では■、メニュー画面でボタンを選択した際、アクティブ状態をどのように表示するのかを選択できます。

2 デザインを選択する

背景のメニューデザインを選択します。画面下部でカテゴリーのタブ（ここでは「Family」）をクリックし①、表示されたサムネイルをダブルクリックすると②、選択したデザインが反映されます③。

POINT

デフォルトのデザイン

手順②の画面では、デフォルトで左端の「Simple」のデザインが設定されています。

● タイトルメニューを編集する

Disc Burnerの「メニュー編集」タブでは、タイトルメニューのタイトル文字、ラベルなどを変更します。

1 「ページラベル」を選択する

タイトルメニューに表示されるメインタイトルを「ページラベル」といいます。デフォルトでは、ページラベルはシーケンス名が表示されていますが、これを変更します。「メニュー編集」タブをクリックして設定画面を表示し①、「タイトルメニュー」が表示されていることを確認します②。ここで「ページラベル」を選択すると③、ページラベルがアクティブになります④。

2 文字を修正する

設定画面の「アイテムの設定」をクリックすると1、「メニューアイテムの設定」ダイアログが表示されます。ここで、「アイテム」2→「文字」タブ3をクリックすると、文字を修正できます4。

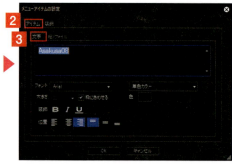

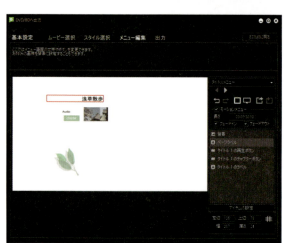

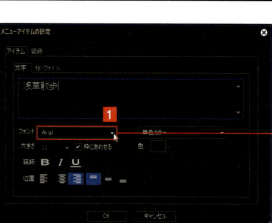

3 フォントを変更する

「メニューアイテムの設定」ダイアログで「フォント」をクリックし1、メニューから希望のフォントを選択します2。

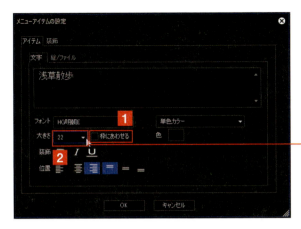

4 文字サイズを変更する

文字のサイズを変更する場合は、「枠にあわせる」のチェックをオフにして❶、「大きさ」をクリックし❷、メニューから希望のサイズを選択します❸。

5 枠サイズを変更する

手順❹で文字のサイズを変更した場合は、「メニュー編集」の設定画面でアクティブになっている枠サイズをドラッグして変更し、枠内に文字が表示されるように調整します。

6 アイテムの表示位置を調整する

ページタイトルのアイテムを選択し、ドラッグして表示位置を調整します。

7 文字色を変更する

「アイテム」タブの「色」で文字色を変更します。カラーボックスをクリックして①、表示されたカラーピッカーで色を選択します②。「OK」ボタンをクリックすると③、設定画面の文字色が変更されます④。

CHECK!

線を表示する
手順6で、設定画面にある「目安となる線を表示します」ボタンをクリックすると、配置の目安となる格子ラインが表示されます。クリックするごとに格子の幅が変更されます。

8 ほかの装飾を設定する

「メニューアイテムの設定」ダイアログで「装飾」タブをクリックすると**1**、「エッジ」「影」「フレーム」「エンボス」などの設定が可能です。ここでは、「エッジ」**2**にある「効果を付ける」のチェックボックスをオンにして**3**、オプションを設定しています**4**。また、「影」タブのオプションも調整しています**5**。

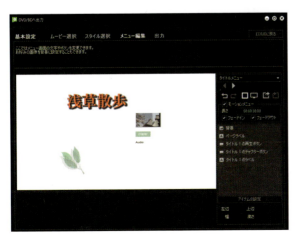

9 他のアイテムも表示位置や文字を調整する

ページラベルと同様に、他のアイテムも文字、色、表示位置などを調整できます。

CHECK!

アイテムの削除／非表示

不要なアイテムを削除するには、右クリックして表示されたメニューから「アイテムを削除」を選択します。右クリックでは削除できないタイトル文字などは、「アイテムの設定」で設定ダイアログを表示し、文字を削除することで非表示にできます。

CHECK!

「モーションメニュー」について

設定オプションにある「モーションメニュー」は、操作ボタンとして設定したサムネイルボタンに、指定した「長さ」のムービーが利用されます。ムービーを利用したくない場合は、チェックボックスをオフにします。

▶ ボタンのサムネイルを変更する

ムービーを再生するためのボタンのサムネイルを変更したい場合は、タイムラインでフレームを指定して変更します。

1 ボタンをダブルクリックする

サムネイルを変更したいボタンをダブルクリックするか、メニューから「再生」ボタンをダブルクリックします。

2 「変更」ボタンをクリックする

設定ダイアログが表示されたら、「アイテム」タブ 1 →「絵／ファイル」タブ 2 をクリックし、「変更」ボタンをクリックします 3 。

3 フレームを選択する

タイムラインのカーソルでフレームを指定するように、メッセージが表示されます❶。プレビューウィンドウで再生カーソルを移動してフレームを選択します❷。あるは、タイムラインで、サムネイルにしたいフレーム位置にタイムラインカーソルを合わせます。

4 サムネイルを確認する

フレームを選んだら、設定ダイアログの「設定」ボタンをクリックします❶。選択したフレームがサムネイルとして表示さたことを確認して❷、「OK」ボタンをクリックします❸。メニュー編集画面にサムネイルが表示されるので❹、確認して「OK」ボタンをクリックします。

▶ チャプターメニューを編集する

タイトルメニューと同様に、チャプターメニューでもページタイトルなどを変更します。なお、メニューボタンには、シーケンスマーカーで設定した「コメント」がタイトル名として表示されています。

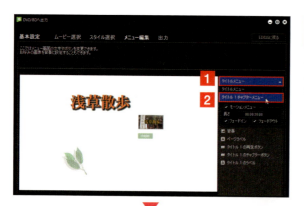

1 チャプターメニューを表示する

「DVD/BDへ出力」ダイアログの設定画面で「タイトルメニュー」をクリックし■、「チャプターメニュー」を選択して表示を切り替えます■。

CHECK!

切り替えボタンを利用する
メニューの切り替えは、選択ボックスの下にある矢印ボタンを利用することでも可能です。

2 チャプターメニューを編集する

チャプターメニューのページタイトルやボタンのラベルなどを変更します。なお、再生ボタンのラベル名には、シーケンスマーカーで設定したコメントが表示されています。

▶ メディアに記録する

メニューの編集を終了したら、メディアへの書き込みを実行します。

1 「出力」を設定する

「出力」タブをクリックして、出力の設定をします。メディアのタイプやボリュームラベルなどを設定します。

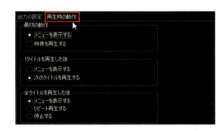

2 「再生時の動作」タブを設定する

「再生時の動作」タブをクリックし、動画を再生後の動作を選択／設定します。たとえば、「動画の再生が完了したらメニュー画面に戻る」などの設定ができます。

3 書き込みを開始する

DVDビデオ出力の設定が完了したら、「作成開始」ボタンをクリックします。これでディスクの書き込みが開始されます。

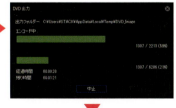

4 書き込みが進行する

フォームの変換についての確認メッセージが表示されるので、「はい」ボタンをクリックするとデータのエンコードが開始されます。続いて、メニューの作成、ディスクメディアへの書き込みが実行されます。

5 書き込みが完了する

書き込み終了のメッセージが表示されるので、「OK」ボタンをクリックします■。書き込みしたメディアがドライブから排出されて、編集画面を閉じるようにメッセージが表示されるので、「OK」ボタンをクリックします■。

6 EDIUS Proに戻る

設定画面の右上にある「EDIUSに戻る」ボタンをクリックすると■、設定内容を保存するか確認するメッセージが表示されます。「はい」をクリックして■、EDIUS Proに戻ります。

CHECK!

イメージファイルを作成する

手順■で「出力の設定」タブをクリックし■、「高度な設定を表示する」のチェックボックスをオンにすると■、作業フォルダーを変更するほか、DVDビデオをイメージファイルとして出力するオプションを利用できます。

CHAPTER

▼

11

THE PERFECT GUIDE FOR EDIUS Pro

[**HDRとLog編集**]

SECTION 01　HDRとは？ Logとは？

CHAPTER 11 ▶ HDRとLog編集

ここでは、HDR映像とはどのようなものなのか、Logとはどのようなものなのか、それぞれの特徴についてザックリと解説します。

▶ HDR映像はダイナミックレンジが広い

最近、「HDR」と呼ばれるタイプの映像が注目されています。HDRとはHigh Dynamic Range（ハイダイナミックレンジ）の略で、ハイビジョンを対象とした現在のSDR（スタンダードダイナミックレンジ）と比べると、より広い「明るさの幅＝ダイナミックレンジ」を表現できるのが特徴です。

たとえば、SDRの映像では明るい部分が白く飛んだ「白トビ」状態になったり、影の部分が真っ黒の「黒つぶれ」状態になってしまったりする部分も、HDRならこのような不都合が発生せず、それぞれの階調を自然でリアルに描写できます。

SDR形式の映像

HDR形式の映像

❶白トビしている
❷黒つぶれしている

❸白トビしていない
❹暗い部分の階調が表現されている

POINT

「ダイナミックレンジが広い」とは？

ダイナミックレンジとは、「階調を識別できる最小輝度と最大輝度の比率」のことです。たとえば、白トビや黒つぶれが発生する原因は、ダイナミックレンジが狭いことです。これに対して、明るいところは白トビせず、暗いところは黒つぶれしないで、それぞれの領域の階調を保ちながら映像を表現するには、「ダイナミックレンジが広い」必要があるのです。

つまり、ダイナミックレンジが広いとは、「白飛びや黒つぶれなどで、明るい部分や暗い部分の階調を失うことなく、双方を『同時に』撮影できる明暗差の幅が広い」という意味なのです。

▶ Logで色を演出する

Log形式で収録するケースも増えています（Logについては「11-7　Logについて」参照）。Log形式の映像を利用すると、カラーグレーディングによって色を演出し、自分好みの色合いの映像を作成できます。なお、Log映像はHDRとも密接に関連しています。

▲Logで撮影した映像。

▲カラーコレクションで普通の映像にカラー補正する。

▲カラーグレーディングによって色を演出し、イメージ通りの色合いに仕上げる。

SECTION CHAPTER 11 ▶ HDRとLog編集

02 HDRの条件

HDRとはどのような映像のことを指すのか、ここではHDRの条件について解説します。ポイントは、映像を構成する5つの要素と、その中の「輝度」です。

▶ HDRに必要な要素

HDRは、4Kや8Kといった高解像度が利用できるようになって実現された映像形式です。HDRには❶解像度、❷ビット深度、❸フレームレート、❹色域、❺輝度という5つの要素があります。

❶解像度
フレームを構成する縦横のピクセル数のことで、「画面解像度」とも呼ばれます。FHD（フルハイビジョン）の解像度は1920×1080、4K UHDの解像度は3840×2160です。

❷ビット深度
ビット深度とは、1画素が表示できる色数のことです。ビット深度が高いと多くの色を表示でき、自然で滑らかなグラデーションが表現できます。ビット深度が8bitの場合は約1677万色、10bitの場合は約10億7374万色が表現できます（P.336参照）。HDRのビット深度は10bitまたは12bitであること、と規定されています。

❸フレームレート
フレームレートとは、1秒間に何枚のフレームを表示するかを表す数値です。フレームレートが大きいほど、滑らかな動きを表示できます。テレビやハイビジョン映像では30p（30p=60i）が標準ですが、HDRでは120pまでのフレームレートをサポートしています。

POINT
「fps」と「p」「i」について
フレームレートについて表記するとき、たとえば「29.97fps」のように表記する場合と、「30p」「60i」のように表記する場合があります。「fps」は「frame per second」の略で、1秒間に表示するフレームの数を指す単位です。一方、「p」は「progressive」、「i」は「interlace」の頭文字で、映像を表示する走査線方式を指しています。

❹ 色域

「色域」とは、表現できる色の範囲のことです。フルハイビジョン放送では、表示すべき色の範囲が「Rec.709」(Recは「Recommendation」の略：勧告)として策定されています。これに対し、4K、8K放送では、「Rec.2020」が策定されています。それぞれの色域を「xy色度図」と呼ばれるグラフを利用して比較すると、その違いがよくわかります。図の三角形で囲まれた部分が大きいほど、より豊かな色彩を表現できます。Rec.2020は、ハイビジョンのRec.709より広い範囲の色を表現できることがわかります。

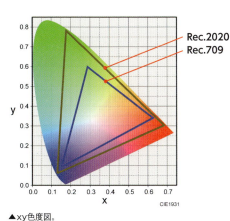

▲xy色度図。

POINT

xy色度図について

xy色度図とは、1931年にCIE（国際照明委員会）に標準表色系として認証された色の表し方で、「CIE1931」とも呼ばれています。光の三原色であるRGBの混色によって色覚できる色を「等色関数」として数値化し、これを利用してグラフ化したものがxy色度図です。人間の目が知覚できるRGB情報を、2次元の平面上に再現しています。

❺ 輝度

「輝度」は、映像で表現できる明るさの範囲のことを指します。人間の目が知覚できる明るさの範囲（ダイナミックレンジ）は10の12乗といわれています。これに対して、従来の表示デバイスでは10の3乗までの範囲しか表示できませんでした。しかし、ダイナミックレンジを広げることで、10の5乗、つまり従来の100倍もの明るさを表現できるようになり、肉眼で見る景色に近い陰影を映し出せます。

▲さまざまなダイナミックレンジ。

▶ HDRの国際規格

放送で利用される映像の場合、国際規格が策定されています。「ITU-R」(国際電気通信連合 無線通信部門)が定めた色域のスタジオ規格で、現在のハイビジョンによる放送は、「BT.709」という規格が策定されています。これに対して、HDRでは「BT.2020」という国際規格が策定されており、さらに新しいHDR国際規格として、2016年7月に「BT.2100」という規格が策定されています。これらの規格の特徴を表にまとめます。

	BT.709 FHD	BT.2020 4K/8K	BT.2100 4K/8K、HDR
解像度	FHD	4K、8K	HD、4K、8K
ビット深度	8bit	10または12bit	10または12bit
フレームレート	最大60p	最大120p	最大120p
色域	Rec.709	Rec.2020	Rec.2020
輝度(ダイナミックレンジ)	SDR	SDR	HDR

▲さまざまな映像の国際規格。　　□ FHD対応の国際規格　　□ HDR対応の国際規格

> **POINT**
>
> **Rec.2020とBT.2020は違うもの?**
> 上記の表を見ると、「Rec.2020」や「BT.2020」など同じような用語が使われています。これって同じもの?それとも別のものなのでしょうか? 答えは別のものです。双方ともよく似ているので、その違いをしっかりと確認しておきましょう。
>
> ● Rec.＊＊＊は色域
> 「Rec.2020」や「Rec.709」などの「Rec.＊＊＊」は色域を意味しています。色域については、P.319の図を参照してください。
>
> ● BT.＊＊＊は規格
> 「BT.2020」など「BT.＊＊＊」は放送のための国際規格を意味しています。たとえばBT.2020は、「解像度が4Kまたは8Kで、色域にRec.2020を利用している、放送のための国際規格」ということです。

2つのHDR方式と映像制作に必要なもの

SECTION 03 / CHAPTER 11 ▶ HDRとLog編集

HDRには2つのタイプがあり、それぞれ利用目的が異なります。また、HDR映像を制作するには、HDRに対応したハードウェアやソフトウェアが必要になります。

▶ 2種類のHDR

HDRには「PQ方式」と「HLG方式」という2種類のタイプがあります。どちらも色域はRec.2020を利用しています。

●PQ方式はカラーグレーディングが必要

PQ（Parceptual Quantizer）は撮影後のカラーグレーディングが必要になるHDR方式で、ビット深度も10bitや12bitを必要とし、最高輝度10,000cd/m²（カンデラ毎平方メートル：1平方メートルの輝度）まで対応しています。このため再現力が非常に高く、映画や配信動画などでの利用に適しています。なお、映像の表示にはPQ対応のモニターが必要です。

●HLG方式はカラーグレーディングが不要

HLG（Hyblid Log Ganma）の最高輝度は1,000cd/m²、ビット深度は10bit以上と規定されていますが、最も多く使われているSDR対応のモニターでも表示が可能なこと、全体のデータ量が少ないこと、さらにカラーグレーディングの必要がないことなどから、放送やライブ中継などでの用途が中心となっています。
HLG方式で撮影された映像は、カラーグレーディングすることなく、HDR対応ディスプレイでは高い再現性を示し、SDRのディスプレイもそれに応じた再現ができます。今後、HDRの主流となるのではないでしょうか。

▶ HDR映像制作に必要なもの

HDR映像を制作するには、HDRに対応している編集ソフトのほか、必要なハードウェアがあります。

●撮影に必要なビデオカメラ／一眼カメラ

HDR映像を制作するためには、ダイナミックレンジの広い映像が撮影できるビデオカメラや一眼カメラが必要です。具体的には、RAW形式やLog形式の映像が撮影できること、あるいはHLG形式の映像が撮影できることが必須になります。
また、ビット深度については10bit以上が望ましいのですが、8bitでも対応可能です。今回、サンプルとして利用できるLog映像は、ソニーの「PXW-Z90」というビデオカメラを利用して撮影した、ビット深度8bit対応のLog映像です。
なお、10bit以上のビット深度で収録する場合、別途プラグインプログラムが必要になるカメラや、内蔵メモリには記録できないので外付けのデバイスに収録するタイプのカメラもあります。基本的には、LogとHLGが撮影できる機種を選んでおけばよいでしょう。

▲ソニーの「PXW-Z90」。

●編集に必要な機材

映像の編集には、編集ソフトがHDRに対応していることはもちろんですが、編集中のHDR映像をプレビューするためには、HDRに対応したモニターが必要です。一般的なSDRのモニターは、表現できる明るさが100nits（nit：輝度の単位）までなのに対し、HDR対応のモニターは1000nitsに対応し、広いダイナミックレンジを十分に表示できます。なお、HDRはPQとHLGの双方の形式に対応している必要があります。

また、PCからモニターに映像を出力するビデオカードもHDRに対応している必要があります。

▲Windows 10の場合、モニターをHDR対応に設定変更できる。

▶ HDR映像制作のワークフロー

HDRの映像制作では、常に明るさやガンマ変換を意識した撮影が必要です。HDRの映像編集では、カラーグレーディングが重要になります。そして、編集結果をどのように出力するかも重要です。

▲被写体をLogやHLG形式で撮影する。

◀HDR対応のEDIUS Proで編集する。

HLG形式で出力　　PQ形式で出力　　SDR形式で出力

SECTION 04

CHAPTER 11 ▶ HDRとLog編集

クリップのプロパティ表示

EDIUSではさまざまなファイル形式の動画を編集できます。また、さまざまなファイル形式を混在して編集することも可能です。そこで必要となるのが、クリップのプロパティ確認です。

▶ HLGのプロパティを確認する

EDIUSに取り込んだクリップのファイル形式などを確認したい場合は、ビンパネルのツールバーにある「プロパティの表示」を利用します。

1 「プロパティの表示」をクリックする

ビンパネルでプロパティを確認したいクリップを選択し①、ツールバーから「プロパティの表示」②をクリックします。

2 「ビデオ」タブを確認する

「プロパティ」パネルが表示されるので、「ビデオ」タブをクリックします。パネルにはアスペクト比やカラースペース（色域）、コーデックなど動画の形式について表示されます。

①「ビデオ」タブ
②アスペクト比
③カラースペース
④コーデック
⑤フレームレート

3 「拡張」タブを確認する

「拡張」タブをクリックすると、動画のコンテナやビデオ量子化ビット数（ビット深度）などのプロパティが確認できます。

1 「拡張」タブ
2 コンテナ
3 ビデオ量子化ビット数

4 Logファイルのプロパティを確認する

▲「ビデオ」タブのパネル表示。

▲「拡張」タブのパネル表示。

Log形式のクリップのプロパティでは、カラースペースなどが確認できます。画面では、「Sony - S-Gamut3/S-Log3」であることが確認できます。

5 ビット深度を確認する

▲「ビデオ」タブのパネル表示。

▲「拡張」タブのパネル表示。

ビット深度が10bitのクリップのプロパティです。

注：著作権の関係上、このデータはサンプルとしては提供されていません。

SECTION **05** CHAPTER 11 ▶ HDRとLog編集

Log編集用のプロジェクト設定

ここではLogの素材を編集するためのプロジェクト設定と、編集の開始後にカラースペースなどを変更する方法について解説します。

▶ Logのプロジェクト設定

ここでは、Logの編集後、SDRのMP4形式の動画として出力します。なお、利用するLogは、ソニーのピクチャープロファイルのプリセット「S-Gamut3/S-Log3」を使って撮影した映像を利用するので、そのためのプロジェクト設定について解説します。

POINT
ソニーのピクチャープロファイルについて
ソニーのビデオカメラには、ガンマカーブ（P.334参照）やGamut（ガマット、P.335参照）を利用した設定がプリセットとして登録されています。プリセットは「PP1」から「PP10」まで用意されており、LogやHLGのプリセットはPP7～PP10に設定されています。今回は、このうちの「PP9」というS-Gamut3とS-Log3を利用して撮影するときのプリセットを利用しています。

POINT
Logの形式は多数ある
カメラメーカーが自社のカメラに対応したガンマカーブをLogとして発表しており、さまざまなLogがあります。主に、次のようなLogがあります。
Sony：S-Log
Panasonic：V-Log
Canon：Canon Log
FUJIFILM：X-Log

1 新規にプロジェクトを設定する

EDIUSを起動し、スタートアップパネルで「プロジェクトの新規作成」をクリックします。

2 プロジェクト名を入力する

パネルの「プロジェクトファイル」にある「プロジェクト名」にプロジェクトの名前を入力します。

3 プリセットを選択する

これから利用するLogに適したプリセットを選択し❶、「OK」ボタンをクリックします❷。なお、プリセットは後から変更可能です。

POINT

プリセットの変更

EDIUSのプリセットは編集画面を表示してからでも変更できます。編集画面を表示する前に変更したい場合は、プリセット選択時に「プリセットを変更して利用する」のチェックボックスをクリックしてオンにしてから、「OK」ボタンをクリックします。

POINT

カラースペースの変更

Logの編集後、たとえばPQやHLGといったHDRで出力したい場合はプリセットを変更します。「プリセットを変更する」をチェックして「プロジェクト設定」パネルを表示し、「詳細設定」❶を展開します。ここにある「カラースペース」❷から、「BT.2020/BT.2100 HLG」「BT.2020/BT.2100 PQ」❸を選択します。

4 編集画面が表示される

EDIUSの編集画面が表示されます。

SECTION 06

CHAPTER 11 ▶ HDRとLog編集

Logをカラーコレクションする

ここでは、LogをHDRらしい色にカラーコレクションしてみましょう。なお、カラーコレクションとカラーグレーディングについても解説します。

▶「プライマリーカラーコレクション」について

Logをきちんとした色で表示させるために、カラーコレクションを行います。このときに利用するのが、エフェクトの「プライマリーカラーコレクション」です。操作の前に、プライマリーカラーコレクションの機能を確認しておきましょう。

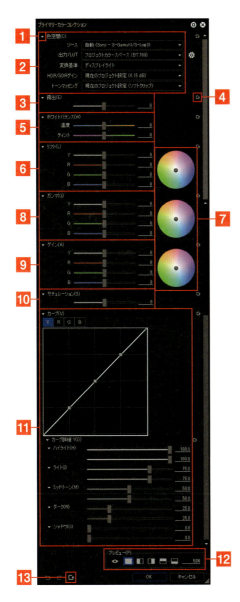

1「▼」で項目を折りたたみます。

2 色空間
ソースや出力後の色空間を設定・変更できます。

3 露出
スライダーをドラッグして、明るさを調整します。

4 リセット
パラメーターの設定をデフォルトにリセットします。

5 ホワイトバランス
白を白として表示させることで、他の色も正しい色で表示できるように調整します。

6 リフト
シャドウ領域の明るさを調整します。「Y」スライダーで一律に、「R」「G」「B」の各スライダーで各色個別に調整できます。

7 カラーホイール
カラーホイールを利用して各色の明るさを調整します。

8 ガンマ
中間調の明るさを調整します。

9 ゲイン
ハイライト領域の明るさを調整します。

10 サチュレーション
彩度を調整します。

11 カーブ
S字カーブを利用して明るさを調整します。調整は「ハイライト」「ライト」「ミッドトーン」「ダーク」「シャドウ」のスライダーでも可能です。

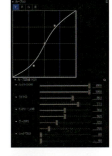

12 プレビュー
調整結果を分割状態で確認できます。分割方法も選択可能です。

13 デフォルトパラメーターをリセット
すべてのパラメーターの設定値をデフォルトに戻します。

▶ プライマリーカラーコレクションを設定する

Log のクリップをタイムラインに配置し、エフェクトパネルから「プライマリーカラーコレクション」を設定します。

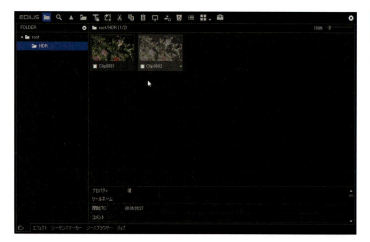

1 クリップを取り込む

編集したい Log や HDR クリップを「ビン」パネルに取り込みます。

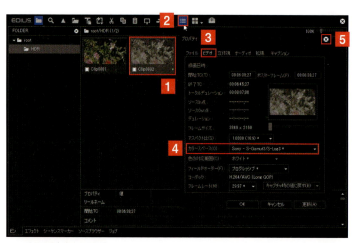

2 カラースペースを確認する

クリップを選択し **1**、「プロパティの表示」**2** を利用して「ビデオ」タブ **3** でカラースペース **4** などを確認します。確認したら、「閉じる」**5** でパネルを閉じます。

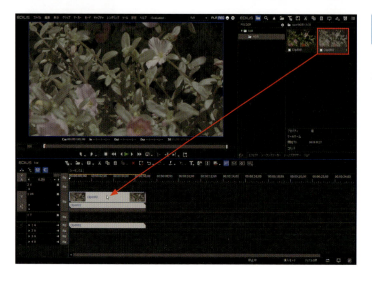

3 クリップをトラックに配置する

ビンパネルから Log をタイムラインに配置します。

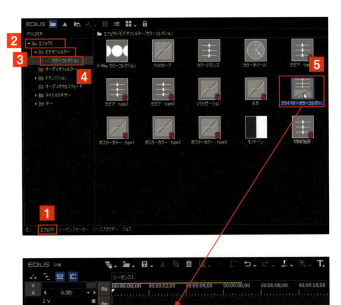

4 「プライマリーカラーコレクション」を設定する

「エフェクト」1 パネルから「エフェクト」2 →「ビデオフィルター」3 →「カラーコレクション」4 を選択し、表示されたエフェクトから「プライマリーカラーコレクション」5 をタイムラインの Log クリップにドラッグ＆ドロップで設定します 6。

● 色空間を確認する

「プライマリーカラーコレクション」の設定パネルを表示し、「色空間」が利用する Log クリップに最適に適用されているかを確認します。

1 色空間が適用される

「プライマリーカラーコレクション」を設定すると、自動的に Log に適した色空間が適用されて、基本的なカラーコレクションが完了します。

2 設定パネルを表示する

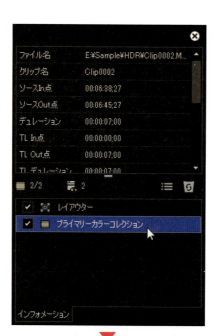

「インフォメーション」パレットで「プライマリーカラーコレクション」をダブルクリックすると、「プライマリーカラーコレクション」パネルが表示されます。

3 「ソース」を確認する

「色空間」にある「ソース」が「自動（Sony - S-Gamut3/S-Log3）」であることを確認します。「出力」はSDRで出力するので、「プロジェクトカラースペース（BT.709）」であることを確認します。

▶ ビデオスコープを表示する

カラーコレクションやカラーグレーディングなどの色補正では、「ビデオスコープ」を利用すると、モニタリングによる感覚的な調整に加えて、数値的グラフによる視覚的な色の調整もできます。

1 「ビデオスコープの表示／非表示」をクリックする
2 「4画面表示」をクリックする
3 ウェーブフォーム(Y:モノクロ)
4 ウェーブフォーム(RGB)
5 ヒストグラム
6 ベクトルスコープ

1 ビデオスコープを表示する

「ビデオスコープの表示／非表示」をクリックして、ビデオスコープを表示します。

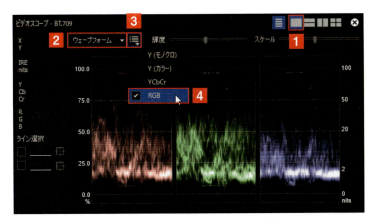

2 ビデオスコープを1画面で表示する

ビデオスコープは、「ウェーブフォーム (RGB)」を表示します。

1 「1画面表示」をクリックする
2 「▼」をクリックして「ウェーブフォーム」を選択する
3 「メニュー」ボタンをクリックする
4 「RGB」を選択する

▲有効をオフにする。

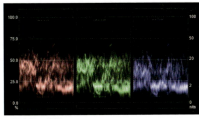

▲設定前の状態。

3 表示を確認する

「インフォメーション」パレットで「プライマリーカラーコレクション」のチェックボックスをクリックしてオン／オフを切り替えると、設定前と設定後の変化を確認できます。

明るさなどを調整する

「プライマリーカラーコレクション」を設定した時点で、基本的なカラーコレクションは自動設定されていますが、さらに Log の明るさや色を調整します。

1 「露出」で調整する

「露出」のスライダーを左右にドラッグして、明るさを調整します。

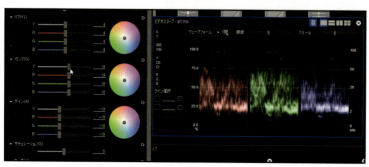

2 「リフト」などで調整する

「リフト」や「ガンマ」「ゲイン」を利用して、明るさだけでなく輝度（Y）や RGB 各色個別の調整が可能です。

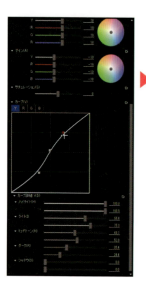

3 カーブで調整する

「カーブ」を利用して、明るさをイメージどおりに調整します。

▶ 出力に応じた色空間設定

ここでは SDR 形式で出力する場合で解説しましたが、たとえば HLG 形式や PQ 形式で出力したい場合は、「プライマリーカラーコレクション」の「色空間」にある「出力／LUT」を調整します。

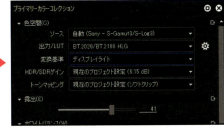

1 HLG 形式で出力する場合

Log を HLG 形式で出力したい場合は、「プライマリーカラーコレクション」の「色空間」にある「出力／LUT」で「▼」をクリックし❶、表示されたプルダウンメニューから「BT.2020/BT.2100 HLG」を選択します❷。設定の変更後は、必要に応じて明るさや色を調整します。

2 PQ 形式で出力する場合

Log を PQ 形式で出力したい場合は、「プライマリーカラーコレクション」の「色空間」にある「出力/LUT」で「BT.2020/BT.2100 PQ」を選択します。設定の変更後は、必要に応じて明るさや色を調整します。

POINT

LUT について

「LUT」（ラット）は「Looh Up Table（参照表）」の略で、映像の撮影で自然界の色を RGB の 8bit や 10bit などに納めるため、RGB の数値セットを別の RGB の数値セットに変換して記録します。かんたんにいえば、アナログのデータをデジタルに変換するための参照表です。また、変換時に利用されるカーブ情報があり、これが「ガンマカーブ」です。

通常、撮影時に利用した LUT は、同じものを編集・再生時に利用しなければなりません。EDIUS では自動的に、「プライマリーカラーコレクション」を設定したときに利用した LUT と同じものを適用してくれます。

POINT

出力時のプリセット選択

Log の調整後、たとえば HLG 形式で出力したい場合、「ファイルへ出力」のプリセットでは「H.264/AVC MP4 3840x2160 29.97p 10bit」などを選んで出力します。

SECTION 07 Logについて理解する

CHAPTER 11 ▶ HDRとLog編集

Logについて理解するのはなかなか難しいのですが、ここではできるだけわかりやすく、簡潔に解説します。

▶ 明るさと色について

HDRを理解するには、P.318～319で解説した5つの要素のうち、「色域」と「輝度」について理解することが重要です。この2つの要素はHDRのポイントです。

　　輝度のダイナミックレンジを拡張する　→ Log（ログ）
　　色のダイナミックレンジを拡張する　　→ Gamut（ガマット）

Logは輝度、すなわち明るさのダイナミックレンジを広げるために利用される機能で、ガンマカーブとも呼ばれています。
Gamutは色のダイナミックレンジ、すなわち色域を拡張するために利用する機能です。

▶ ガンマカーブについて

「Logで撮影する」ということを一言で説明すると、以下のようになります。

　　撮影後にカラー補正を行うことを前提に、ガンマカーブで収録する撮影方法

これだけでは、意味がよくわかりませんね。詳しく見ていきましょう。

●ガンマ特性（EOTF）

最初に、「ガンマカーブ」についてかんたんに理解しておきましょう。「ガンマ」とは、被写体からカメラに入ったアナログの光情報をデジタル値に変換するための関数です。たとえば、「入力した赤色の光は数字の○○番にする」というように、アナログの情報をデジタル化するのです。
一般的に、アナログからデジタルへの変換は、図の破線にあるように直線的（「リニア」という）に変換されます。それだけならば、デジタルからアナログに変換するのもかんたんです。ところが、そう単純ではないのです。

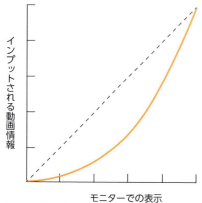
▲CRTのガンマ特性。

実は、映像を表示するCRT（モニター）は、デジタル信号をアナログ変換して表示する際、リニアではなくハードウェア的な特性からカーブを描いて再現されてしまうのです。このカーブを「ガンマ特性」や「ディスプレイガンマ」といい、「EOTF（Electro Optical Transfer Function）」と呼ばれています。
このガンマ特性は、人がより自然に階調などを見られるように、意図的に設定されています。暗い中では、人の目は明かりの微妙な変化にはとても敏感です。しかし、明るい中での明るさの変化には鈍感なのです。この特性を活かして、ガンマが設定されています。

●ガンマ補正（OETF）

CRTのガンマ特性ですが、変換が曲線では正しい色で表示されません。表示するためには、リニアにする必要があるのです。そのため、アナログの光情報をデジタルに変換する際に、人の目の特性を活かして階調を表現できるように、カメラ側で曲線的に補正して収録しています。これを「ガンマ補正」や「ガンマエンコーディング」といい、「OETF（Opto-Electronic Transfer Function）」と呼ばれます。P.325で解説したように、このガンマ補正はカメラメーカーからLogとして各種公開されています。
そして、このOETFによってEOTFを補正することで、モニターへの出力がリニアになるのです。

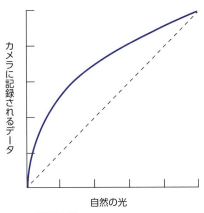
▲カメラが利用するLog。

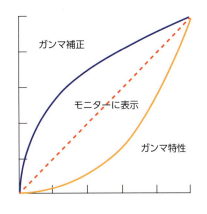
▲ガンマ補正によってリニア出力が可能になる。

●色域（Gamut）も複数ある

P.319で示した色域ですが、色域のダイナミックレンジを広げるために、Rec.2020などが利用されます。そして、色情報をより多く保持するために、10bit以上のビット深度が利用されます。
色域は「Gamut」（ガマット）と呼ばれますが、このGamutもカメラメーカーによって独自に設定された色域があります。たとえば、下記のようなGamutです。

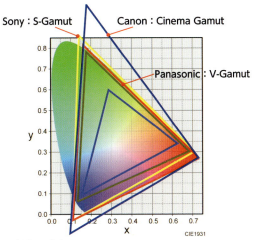
▲色域のxy色度図。

このような独自の Gamut を Log と併用することで、各社独自の色を表現しているのです。

● **表現できる色の数とビット深度**

最後に、デジタルで表現できる色数について解説しておきましょう。デジタル映像では色を RGB によって表現しています。RGB で表現できる色数は、ビット深度によって決まります。

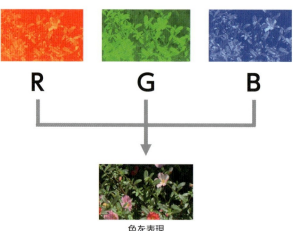

▲デジタル映像では色をRGBで表現する。

SDR で利用しているビット深度は 8bit です。8bit の場合、表現できる色数は以下のように求めることができます。

　R の階調：8bit ＝ 2 の 8 乗＝ 256 階調
　G の階調：8bit ＝ 2 の 8 乗＝ 256 階調
　B の階調：8bit ＝ 2 の 8 乗＝ 256 階調
　　　　　　　↓
　R：256 × G：256 × B：256 ＝ 16,777,216 色

このように、ビット深度が 8bit の場合は約 1,677 万色の色が表現できます。逆にいえば、1,677 万色しか表現できないのです。
一方、ビット深度が 10bit の場合に表現できる色数は以下のようになります。

　R の階調：10bit ＝ 2 の 10 乗＝ 1024 階調
　G の階調：10bit ＝ 2 の 10 乗＝ 1024 階調
　B の階調：10bit ＝ 2 の 10 乗＝ 1024 階調
　　　　　　　↓
　R：1024 × G：1024 × B：1024 ＝ 1,073,741,824 色

つまり、ビット深度が 10bit の場合は約 10 億 7 千万色を表現できることになります。ビッド深度が 8bit と 10bit では、このような差があるのです。これがビット深度の特徴です。この特長を活かして、HDR では広いダイナミックレンジを活用しているのです。

CHAPTER

12

THE PERFECT GUIDE FOR EDIUS Pro

[**Mync**]

SECTION

CHAPTER 12 ▶ Mync

01 Myncでストーリーボードを新規に作成する

Mync（ミンク）では「ストーリーボード」機能を利用してムービーの簡易編集ができます。ここでは、Myncで新規にストーリーボードを作成する手順を解説します。

▶ ストーリーボード編集時のMync画面

Myncの「ストーリーボード」機能を利用すると、Mync上でムービーの簡易編集ができます。EDIUS Proを起動しなくてもムービーを作成できるので、YouTubeなどに動画をスピーディにアップロードしたい場合などは便利です。「ストーリーボード」の編集画面は以下のような機能で構成されています。

1 **サムネイルペイン** 編集対象として選択しているストーリーボードに登録されているクリップが、1つずつ編集トラックに配置したような状態で表示されます。

2 **プレビューペイン** スライダー位置のフレーム映像が表示されて、再生／停止、音量調整などの操作ができます。

3 **プロパティペイン** ストーリーボードの設定や、編集したストーリーボードをファイル出力するなどの操作が行えます。

▶ ストーリーボードの新規作成

Myncでのムービー作成は、編集作業を行う「ストーリーボード」の新規作成から始めます。なお、ストーリーボードは作成するムービーごとに新規に作成します。

1 ライブラリのアイコンをクリックする

サイドバーにある「ストーリーボード」の右端にあるアイコンをクリックします。

2 ストーリーボードが作成される

「新しいストーリーボード」が作成されます。名前をクリックすると 1 、ストーリーボードが表示されます 2 。

●ストーリーボード名を変更する

サイドバーの「ストーリーボード」に追加された「新しいストーリーボード」は、作成するムービーに応じて、名前を変更します。

▲名前部分をクリックする。

▲名前を変更する。

●ストーリーボードのフォーマットを変更する

ストーリーボードのフォーマットは、「1920 × 1020、29.97fps」です。このフォーマットは「ストーリーボード設定」で変更できます。変更が終了したら、「OK」ボタンをクリックします。

▲「ストーリーボード設定」 1 をクリックして、表示された歯車のアイコン 2 をクリックする。

▲「▼」をクリックする。

▲利用したいフォーマットを選択する。

SECTION 02　Myncのストーリーボードで編集する

CHAPTER 12 ▶ Mync

ここでは新規に作成したストーリーボードを利用して、Mync に取り込んである素材データで簡易編集を行う方法を解説します。

▶ ストーリーボードで編集する

ストーリーボードを作成したら、ムービーに利用するクリップを登録して、トリミングなどの編集を行います。

1 クリップを登録する

「ライブラリ」で「すべてのクリップ」を選択します❶。利用したいクリップを選択して❷、新規に作成したストーリーボード上にドラッグ＆ドロップします❸。

2 ストーリーボードを表示する

新規に作成したストーリーボード名をクリックすると❶、ストーリーボードのサムネイルペイン（編集画面）が表示されます❷。

CHECK!

クリップの削除
サムネイルペインに登録されているクリップを削除するには、クリップを右クリックして「ストーリーボードから削除」を選択するか、クリップを選択して Delete キーを押します。

3 クリップを移動する

サムネイルペインに登録したクリップは、上から順に再生されます。再生順を変更するには、クリップを選択して■ドラッグします■。

4 トリミングする

クリップの右には、各クリップのデュレーションが表示されています■。また、サムネイルの左右には明るいグレーの「トリミングバー」があり■、これを左右にドラッグしてトリミングします■。なお、トリミング中はバーが黄色で表示され、右のデュレーション表示のほか、トリミングバーの上にもデュレーションが表示されています■。

CHECK!

In 点と Out 点を指定してトリミングする

トリミングバーをドラッグするほか、最初に In 点と Out 点の位置を決めてトリミングする方法もあります。スライダーをトリミングしたい位置に合わせ①、右クリックします。表示されたコンテクストメニューから「In 点の設定」または「Out 点の設定」を選択すると②、トリミングが実行されます③。

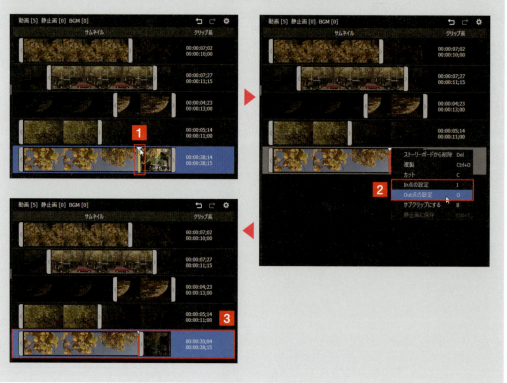

SECTION 03 Myncのストーリーボードの再生と出力

CHAPTER 12 ▶ Mync

ストーリーボードでの編集が完了したら、動画を再生して編集内容を確認し、動画ファイルとして出力します。

▶ ストーリーボードを再生する

ストーリーボードでの編集内容は、「プレビューペイン」で確認します。

1 「プレビューペイン」を表示する

プレビューペインは「表示」メニューから「プレビュー」を選択して表示します。

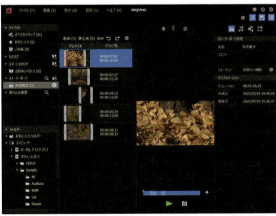

2 再生位置を決める

プレビューペインでは、サムネイルペインにあるスライダー位置から再生が開始されます。そこで、再生を開始する前にスライダー位置を決めます。先頭から再生したい場合は、一番上のクリップの左端にスライダーを合わせます。途中から再生したい場合は、目的のクリップの再生したい位置にスライダーを合わせます。

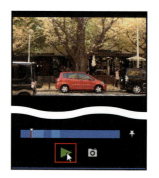

3 再生を開始する

プレビューペインの「再生」ボタンをクリックして、再生を開始します。

▶ ムービーを出力する

編集を終了したストーリーボードは、「エクスポート」を利用して出力します。出力されたムービーは、Myncのライブラリに登録できます。

1 「エクスポート」を選択する

サイドバーで出力したいストーリーボードを選択し、プロパティペインで「エクスポート」ボタンをクリックします**1**。プロパティペインがエクスポートモードに切り替わるので、「エクスポート」ボタンをクリックします**2**。

2 保存を実行する

「エクスポート」ダイアログが表示されるので、出力先のフォルダーを選択して**1**、動画のファイル名を入力します**2**。ファイル名はデフォルトでストーリーボード名が設定されます。設定が完了したら、「保存」ボタンをクリックします**3**。

SECTION 04

CHAPTER 12 ▶ Mync

Myncから動画を
オンライン共有する

Myncから出力したムービーはYouTubeやFacebookなどのSNSにダイレクトでアップロードして、公開することができます。

▶ Myncからダイレクトにアップロードする

Myncから出力しライブラリに登録されたムービーは、MyncからダイレクトでYouTubeやFacebookなどにアップロードできます。

1 アカウント登録しておく

Myncからアップロードする前に「設定」→「共有」を選択して、アップロード先のSNSのアカウントを登録し、左下の「+」ボタンをクリックしておきます。

2 「アップロード」を選択する

ライブラリに登録されたムービーを右クリックし、「アップロード...」を選択します **1**。アカウントを登録してあるアップロード先を選択するメニューが表示されるので、アップロード先を選択します **2**。

3 アップロードを実行する

アップロード先の設定メニューが表示されるので、各種設定を行って **1**、「アップロード」ボタンをクリックします **2**。

INDEX【索引】

数字

10bit	336
16bit ／ 2chで出力する	294
1つのユーザープリセットとして作成	177
2D	152
3D	152
3Dモード	208
3-Wayカラーコレクション	180, 184
4Kのプロジェクトプリセット	46
5段階評価	74
8bit	336

A～G

Alpha	169
AVCHDフォルダー	59
Aトラック	87
B-Y	190
BT.2020	320
BT.2100	320
BT.709	320
cd/m2	321
CG設定	214
CSV形式	239
dB	274
Disc Burner	299, 303
DVD ／ BDへ出力	299
DVDビデオ	299
「EDIUSに戻る」ボタン	314
EDLファイル	153
eID	12
EOTF	334
Facebook	345
fps	318
Gamunt	335
GPUトランジション	152
GV Browser	50

H～R

H.264	295
H.264/AVC	295
HDR	45, 316
HLG方式	321
Hue	184
i	318
In ／ Out点間のみ出力する	294
In ／ Out点間のレンダリング	86, 293
In ／ Out点へ追加	113
In点	126
In点トリム	130
「In点の設定」ボタン	101
ITU-R	320
Key表示	217
Linear(%)	274
Linear Cancel Color	214
Log	317
Log(dB)	274
LUT	333
Mync	50
Myncの画面	60
Myncの起動	53
New Folder	84
nit	322
OETF	335
Out点	126
Out点トリム	130
「Out点の設定」ボタン	102
p	318
PQ方式	321
PAN	274
PLR	23
REC	23
RGB	190, 336
R-Y	190

S～Z

SDR	316
Simple	305
SMPTE規格	153
SMPTEトランジション	153
SNS	345
Tトラック	87
U	190
UV	190
U ／ Vスライダー	190
Uカーブ	183
V	190
VAトラック	87
VOL	273
VUメーター	275
Vカーブ	183
Vトラック	87
X座標	248
YouTube	345
YUV	190
YUVカーブ	182
Yカーブ	183
Y座標	248
Z軸	208

ア

アイコン選択	286
アイテムの削除	310
新しいカタログ	68
新しいストーリーボード	339
圧縮	301
アップデート	20
アニメーション	196, 221

アニメーションのチェックボックス	197	オールドムービー	176
アルファ	153	オフ	276
アルファカスタム	168	オブジェクト作成画面	243
アルファチャンネル	35	オンスクリーンディスプレイ	138
アルファビットマップ	169	音声基準レベル	284
アンカー	210, 223	音声プリセット	33
		オンライン共有	345
		音量の調整	272
		音量レベル	284

イ

イエロー	186		
一括取り込み	59		
一括ロックパネル	87, 108		
イメージクリップ	77		
イメージファイルの作成	314		
色信号	190		
色選択モード	214		
「色の設定」ダイアログ	250		
色補正	182		
インストール	15		
「インフォメーション」パレット	23		
インフォメーションボード	53		
インポート	41		

カ

カーソル形状	304
解像度	318
回転	203
回転ハンドル	210
拡大率	210, 212
「拡張設定」タブ	296
影	255
カスタム	168
傾きの修正	204
カタログ	66
カタログ名の表示／非表示	70
カットポイント	126
「カットポイントの追加」ボタン	86, 112, 270
ガマット	335
カメラの数	142
カラーエッジ	169
カラーグレーディング	189
カラーコレクション	178, 327
カラー選択	192
カラーバランス	176, 178, 186
カラーピッカー	184, 192
カラーホイール	188
カラーホイールポイント	188
カラー補正ツール	186
カレンダー	61
カンデラ毎平方メートル	321
ガンマ	332
ガンマエンコーディング	335
ガンマカーブ	334
ガンマ特性	334
ガンマ補正	335

ウ〜エ

ウェーブフォーム	274, 331
内側フレーム	195
上書きモード	114
上書きモードのトリミング	129
「絵／ファイル」タブ	310
映像プリセット	33
エクスポーター	294
エクスポート	40, 344
エッジ	210
エッジの設定	250
エッジをソフトにする	214
エフェクト	151
エフェクトデュレーション	164
エフェクトの調整	176
「エフェクト」パレット	23, 151
エンコード	301
エンボス	178

キ

キーカラー選択	193
キー表示	184, 194
キーフレーム設定	196
キーフレームの削除	283
キーフレーム用タイムライン	198
既存のトランジションの適用	86
既存のプロジェクトをテンプレートとして使用する	36
規定値として保存	198
既定のトランジションの適用	160, 172
輝度	319

オ

扇選択モード	192
オーサリングツール	303
オーディオ拡張ボタン	87
オーディオクリップ	77, 268, 269, 270
オーディオクロスフェード	155
オーディオトラック	269
オーディオのミュート	87, 274
オーディオ部	85
オーディオフィルター	285
オーディオミキサー	275
オーディオミキサーの表示／非表示	86
オーバースキャン	35

起動	24, 31	現在位置のフレームをビンへ追加	86
輝度信号	190	現在位置へ貼り付け	86
輝度の調整	188	現在の設定	42
「基本設定」タブ	296	「現在の設定を変更」ボタン	42
逆方向トラッキング	213	検索条件	72
ギャップ	107	検索設定ダイアログ	72
ギャップの削除	107	検索対象	72
ギャップの発見	147	効果範囲	185
キャンセルカラー	214	効果範囲の制限	184
行間隔	251	効果を付ける	309
曲線補完	182	固定モード	158
切り替えバー	60	コーデック	35
切り取り	78, 86	このエフェクトをデフォルトにする	172, 266

ク

クイックタイトラー	245	コピー	86
「矩形作成」ツール	210	コメント	234
矩形処理	214	「コメント」欄	235
矩形選択モード	192	コントラスト	186
グリーンバック合成	214	コントラストの調整	188

サ

クリップ	51, 77, 85
クリップの移動	103, 105
クリップの入れ替え	110
クリップの色分け	119
クリップの置き換え	86
クリップの回転	204
クリップのグループ化	116
クリップのコピー	111
クリップの削除	78, 106
クリップの追加	76, 268
「クリップの追加」ボタン	76
クリップの配置	99
クリップの分割	112
クリップの有効化／無効化	115
クリップビュー	81
クリップ表示色	119
クリップマーカー	226
クリップマーカーの設定	228
クリップマーカーの編集	234
「クリップマーカー」リスト	227
クリップをタイムラインへ配置	100
クリップを取り込む	55
クリップをまとめて移動	105
グループ化の解除	116
グループの設定	116
グループ分け	68
グレイバランス	181
「クロール」タイトル	256
クロップ	198
クロマキー	214
クロミナンス	192

「再生時の動作」タブ	300, 313
再生バッファ	292
彩度	186
彩度の調整	188, 197
サイドバー	60
「採用クリップをまとめる」ダイアログ	147
「削除」ボタン	106
「作成開始」ボタン	300, 313
サムネイルの変更	310
サムネイルペイン	60, 338

シ

シアン	186
シーケンスタブ	85
シーケンスの新規作成	86, 122
シーケンスマーカー	226
シーケンスマーカーのコメント編集	235
シーケンスマーカーの設定	231
「シーケンスマーカー」リスト	227
シーケンスを閉じる	123
シーケンスを開く	123
シェイプ	210
色域	319
色差	183
色差信号	190
色調の調整	188
システムプラグインエフェクト	153
システムプリセットエフェクト	175
自動フィット	214
自動フィット追尾設定	214
絞り込み	66
シャープネス	170
シャドウ	184
終了	25

ケ～コ

ゲイン	332

INDEX【索引】

出力ハードウェア	288
順方向トラッキング	213
使用可能なプリセット	42
詳細設定	33, 297
ショートカットキー	121, 141
初期サイズ	247
シリアルナンバー	18
新規シーケンス	122
新規フォルダー	84
新規フォルダーの作成	245
シンクロック	108
伸縮モード	158

ス

ズームボタン	81
ステータスバー	85
ストーリーボード	338
ストーリーボードでの編集	340
ストーリーボードの再生	343
ストーリーボードの新規作成	338
ストーリーボード名の変更	339
ストレッチ	201
ストレッチハンドル	210
スプリットトリム	130, 134
スマートカタログ	66, 71
スライドトリム	130, 131
スリップトリム	130, 132

セ～ソ

静止画像	148
青色差信号	190
「セーブ」ボタン	171
セーフカラー	182
赤色差信号	190
セピア	178
セピアカラーの作成	187
選択トラック	105
操作ボタン	81, 85
挿入モード	114
挿入モードのトリミング	129
ソースチャンネル	99
「ソースブラウザー」ウィンドウ	23
素材のクロップ	199
外側フィルター	193

タ

タイトル	87, 242
タイトルオブジェクトスタイルバー	249
タイトルクリップ	242, 253
タイトルクリップの修正	253
「タイトルの作成」ボタン	86, 243
タイトルの新規作成（1Tトラックへ追加）	246
タイトルミキサー	262
ダイナミックレンジ	316

タイムコード	35, 136, 140
タイムコードを表示する	294
タイムスケール	85
タイムスケールスライダー	97
タイムスケール設定	85
タイムスケールの表示単位の変更	97
タイムライン	85
「タイムライン」ウィンドウ	23, 85
タイムラインカーソル	85
「タイムラインへ挿入で配置」ボタン	102
「タイムラインへ配置」ボタン	100, 269
楕円選択モード	192
タッチ	276
縦位置写真	220
ダブルドア	165
単色系	191

チ～テ

チャプターマーカー	226, 235, 302
チャプターメニューの編集	312
中間部	184
直線補完	182
ツールボタン	198, 210
ディスプレイガンマ	335
ティルト	218
テキストの入力	257
テキストファイルを読み込む	260
テキストプロパティ	249, 254
デシベル	274
デバイスプリセット	286, 289
デフォルトエフェクト	175
デフォルトトランジションの設定	172
デュアルモード	23
デュレーションの変更	163
テロップ	256
テンプレート	22
テンプレートとして保存	38

ト

動画の再生が完了したらメニュー画面に戻る	313
同期	108
登録の解除	78
トラッキング	210
トラック	85, 87
トラックトランジション	157
トラックのアンロック	93
トラックの移動	95
トラックの削除	96
トラックの選択	92
トラックの高さを変更	89
トラックの追加	94
トラックの配置順	264
トラックのロック	93
トラックパッチ	87, 269

トラックパネル	87	ビデオスコープ	331
トラックヘッダー	85, 87	ビデオノイズ	176
トラックヘッダーの幅を変更	88	「ビデオのミュート」ボタン	87, 200
トラック名の変更	91	ビデオ部	85
ドラフトプレビュー	65	ビデオフィルター	174
トランジション	150, 154	評価	72
トランジション／クロスフェードに合わせてクリップ伸縮する	156	表示範囲の変更	98
		ピラーボックス	218
トランジションのオプション設定	165	ピラーボックスの削除	219
トランジションの交換	161	「ビン」ウィンドウ	23, 76
トランジションの削除	162	「ビン」ウィンドウの構成	81
トランスフォーム	200	「ビン」ウィンドウの表示／非表示	86
「トランスフォーム」タブ	198	「ビン」ウィンドウの表示モード	82
取り込み	59		
「取り込み」ボタン	57		

フ

トリミング	126	ファイル情報	63
トリミングバー	342	「ファイルの場所」ウィンドウ	77
「トリム(-10フレーム)」ボタン	137	ファイルへ出力	295
トリムウィンドウ	135	「ファイルへ出力」ダイアログ	294
トリムモード	135	フィット	97
ドロップシャドウ	207	フィルターの削除	179
ドロップフレーム	35	フィルターの順番	179
		フェードアウト	280

ナ〜ノ

ナレーション	286	フォトムービー	218
入力ハードウェア	287	フォルダーの階層化	83
ネスト	124	フォルダーの削除	80
ノーマライズ	284	「フォルダー」パネル	61
ノンドロップフレーム	35	フォルダービュー	81
		フォルダーを登録	79
		フォントの変更	249

ハ

		負荷部分	293
ハード幅	250	復元方法	120
背景のメニューデザイン	305	複数ファイルの選択	77
背景プロパティ	254	ふち取り	250
ハイライト	184	プライマリーカラーコレクション	327, 328
「パラメータ」アイコンボタン	167	プラグインベースエフェクト	153, 175
「パラメーター」タブ	198	プリセット	22
バランス調整カラーホイール	184	「プリセット」タブ	198
パレット	23	プリセットの削除	294
パレットの表示／非表示	86	プリセットを削除	29
パン	223	プリセットを変更して利用する	326
パンコントロール	275	ブルーバック合成	214
パンの設定	218, 274	フルハイビジョン	31
		プレイヤー	23
		フレーム	33

ヒ

		フレームレート	33, 318
ピークメーター	275	プレビューウィンドウ	23
ピクチャー・イン・ピクチャー	206	プレビュー設定	182, 184
ピクチャープロファイル	325	プレビュー品質	65
ヒストグラム	331	プレビューペイン	64, 338, 343
ヒストグラム表示	184	「プレビュー」ボタン	64
ビット深度	318	プロキシの作成	118
ビットマップデータ	169	プロキシファイル	117
ビデオカメラを接続	55	プロキシモード	117
ビデオクリップ	77		

INDEX【索引】

プロキシを自動的に生成する	118
プロジェクト設定	22, 30, 42
「プロジェクト設定」ダイアログ	27
プロジェクトテンプレート	39
プロジェクトの新規作成	26, 30, 43
プロジェクトの保存	86
プロジェクトプリセット	22, 26
プロジェクトプリセットの変更	28
プロジェクトを開く	86
プロパティ	63
プロパティの表示	175
プロパティペイン	62, 338

ヘ～ホ

ページラベル	305
ベクトルスコープ	331
ベクトルスコープ／ウェーブフォームの表示／非表示	86
変換処理が行われるプリセット	295
変換処理を有効にする	294
ボイスオーバー	289
ボイスオーバーの表示／非表示	86, 289
「ボリューム／パン」ボタン	87, 272, 282
ボリュームのラバーバンド	280
ホワイトバランス	180

マ～ミ

マーカーにジャンプ	236
マーカーの移動	230
マーカーの削除	237
マーカーの追加	229
「マーカー」パレット	23
マーカーリスト	227
「マーカーリストのインポート」ボタン	227, 239
「マーカーリストのエクスポート」ボタン	227, 238
マーカーをIn／Out点間へ追加	229
マスク	211
マスクフィルター	210
マスター	277
マゼンタ	186
マルチカムモード	142
ミキサー	87
ミキサー拡張ボタン	87
ミキサー部	85, 215
緑色のマーク	70
ミンク	50

ム～モ

ムービークリップ	77
ムービーの出力	344
メインタイトル	242
メタデータ	82
メタデータビュー	81
メディアへの書き込み	313
「メニューアイテムの設定」ダイアログ	306, 309
メニューなしのDVDビデオ	299
「メニュー編集」タブ	305
「目安となる線を表示します」ボタン	308
モーションメニュー	310
モードバー	85
モードボタン	198
モザイク	212
文字間隔	251
文字サイズの変更	247
文字色の変更	249
元に戻す	86
モノトーン	190

ヤ～ヨ

やり直し	86
有効化／無効化	115
ユーザー設定	156
ユーザープリセットエフェクト	175
「横書きテキスト」ツール	246

ラ～ロ

ラーニング状態を維持	275
ラーニングモード	275, 278
ライト	276
ライブラリに登録	58, 59
ラッチ	276
ラバーバンド	272
リアルタイム再生	292
「リップル削除」ボタン	86, 106
リップルトリム	130
リップルモード	109
「リップルモードの切り替え」ボタン	109, 233
リピート再生する	300
リフト	332
リムーバブルデバイス	56
リンク切れ	120
リンクの解除	103
レイアウター	198
レコーダー	23
レベルメーター	275
レンジ	194
レンダリング	292
レンダリングのサブメニュー	293
ロード	171
ローリングトリム	130, 133
「ロール」タイトル	259
録音	286
ロックパネル	87

■著者略歴

阿部 信行(あべ のぶゆき)

千葉県生まれ。日本大学文理学部独文学科卒業。
肩書きは、自給自足ライター。主に書籍を中心に執筆活動を展開。自著に必要な素材はできる限り自分で制作することから、自給自足ライターと自称。
原稿の執筆はもちろん、図版、イラストの作成、写真の撮影やレタッチ、さらに動画の撮影・ビデオ編集、アニメーション制作、そしてDTPも行う。制作した作品は、出版だけでなくWebサイト等で公開。Webサイトが必要ならWebサイトも自作する。
自給自足で養ったスキルは、書籍だけではなく、動画講座などさまざまなリアル講座、オンライン講座でお伝えしている。

『DaVinci Resolve 17 デジタル映像編集 パーフェクトマニュアル』(ソーテック社)
『Premiere Pro & After Effects いますぐ作れる! ムービー制作の教科書 改定3版』(技術評論社)
『Premiere Pro 動画編集の教科書』(技術評論社)
『Illustrator&Photoshop & InDesign これ一冊で基本が身につくデザイン教科書』(技術評論社)

本文デザイン
吉田進一(ライラック)

カバーデザイン
田邉恵里香

DTP
マップス

編集
田村佳則

EDIUS X Pro パーフェクトガイド
[改訂2版]

2021年10月29日 初版 第1刷発行

著者	阿部 信行	
発行者	片岡 巌	
発行所	株式会社技術評論社 東京都新宿区市谷左内町21-13	
電話	03-3513-6150 販売促進部 03-3513-6160 書籍編集部	
印刷/製本	株式会社加藤文明社	

定価はカバーに表示してあります。

本書の一部または全部を著作権法の定める範囲を越え、無断で複写、複製、転載、テープ化、ファイルに落とすことを禁じます。

©2021 株式会社スタック

造本には細心の注意を払っておりますが、万一、乱丁(ページの乱れ)や落丁(ページの抜け)がございましたら、小社販売促進部までお送りください。
送料小社負担にてお取り替えいたします。

ISBN978-4-297-12361-1 C3055
Printed in Japan

■お問い合わせについて

本書の内容に関するご質問は、下記の宛先までFAXまたは書面にてお送りください。なお、電話によるご質問、および本書に記載されている内容以外の事柄に関するご質問にはお答えできかねます。あらかじめご了承ください。

〒162-0846
新宿区市谷左内町21-13
株式会社技術評論社 書籍編集部
「EDIUS X Pro パーフェクトガイド[改訂2版]」質問係
FAX番号 03-3513-6167
URL: https://book.gihyo.jp/116

ご質問の際に記載いただいた個人情報は、ご質問の返答以外の目的には使用いたしません。また、ご質問の返答後は速やかに破棄させていただきます。